SUPER PicSOU GEANT

Si les canards pondaient des haches, ils se fendraient plus souvent le derrière !

PAGE 5
BD DOUBLE DUCK

PAGE 149
SPÉCIAL MUNDIAL 2014 !!!

PAGE 153
BD FANTOMIALD

Nº

S0-CBE-221

JE CROIS QU'UN RAPPEL DES FAITS S'IMPOSE POUR LES *RETARDATAIRES* !

OU-OUI... S'IL VOUS PLAÎT...

ON SAIT QUE MISS BOOTS FAIT PARTIE DES *UNKNOWN**, UN RÉSEAU D'*HACKTIVISTES* QUI S'ÉTEND PARTOUT DANS LE MONDE !

*INCONNUS, EN ANGLAIS.

UN GROUPE DE *QUOI* ?

HACKTIVISTES ! LA CONTRACTION DE *HACKERS* ET *ACTIVISTES*...

"CES *PIRATES INFORMATIQUES* AGISSENT EN RÉSEAU EN ORGANISANT DES ACTES DE PROTESTATION !"

ATTENDEZ, ÇA ME DIT QUELQUE CHOSE ! CE SONT EUX QUI ONT FAIT RECULER LA COMPAGNIE PÉTROLIFÈRE *STANDARDUCK OIL*, PAS VRAI ?

EXACT ! ELLE VOULAIT FAIRE *DES FORAGES* DANS UNE ZONE MARITIME PROTÉGÉE ET ELLE A DÛ RENONCER !

ELLE A PU FUIR IN EXTREMIS LES AGENTS FÉDÉRAUX, QUI NE RETROUVENT PAS SA TRACE !

MAIS *NOUS*, NOUS SAVONS QU'ELLE A PRIS L'AVION POUR *HONG KONG*, SOUS UNE FAUSSE IDENTITÉ...

CE QUI NE PEUT SIGNIFIER *QU'UNE CHOSE* : IRMA BOOTS EST IMPLIQUÉE DANS CETTE AFFAIRE !

EN LA RETROUVANT, NOUS POURRONS MÊME METTRE LA MAIN SUR *TOUTE LA BANDE* !

À CONDITION QUE VOTRE HYPOTHÈSE SOIT *JUSTE !*

LE JET PRIVÉ DE L'AGENCE VOUS ATTEND À L'AÉROPORT ! BON VOYAGE !

C'EST UN LONG VOL ! J'ESPÈRE QU'ON NOUS SERVIRA À MANGER !

TU AS PEUR DE MOURIR DE FAIM ?

JE N'AI PAS MANGÉ CE MATIN ET...

6

QUE SAIT L'AGENCE SUR CET HOMME ?

LE PRINCIPAL : IL FAIT PARTIE *D'UNKNOWN* ET N'EST PAS *EN CAVALE* !

IRMA N'A *PAS D'AUTRES* POINT DE CHUTE À HONG KONG ! ELLE L'A SÛREMENT CONTACTÉ !

ET SI C'EST LE CAS, TU CROIS QU'IL NOUS LE DIRA ?

NOUS L'Y POUSSERONS ! APRÈS TOUT, ON EST DANS *LA MÊME ÉQUIPE* !

SI LES HACKTIVISTES SONT DES GENS HONNÊTES, ET J'EN SUIS PERSUADÉE, IL A TOUT INTÉRÊT À TOUT NOUS DIRE !

OUI, MAIS... ON VA SE PRÉSENTER COMME *AGENTS SECRETS* ?

NON, COMME *JOURNALISTES* QUI ENQUÊTENT SUR UNKNOWN !

NOUS LUI DIRONS QU'IRMA BOOTS NOUS AVAIT PROMIS *UNE INTERVIEW* !

OUI, ÇA DEVRAIT MARCHER !

TOC TOC

8

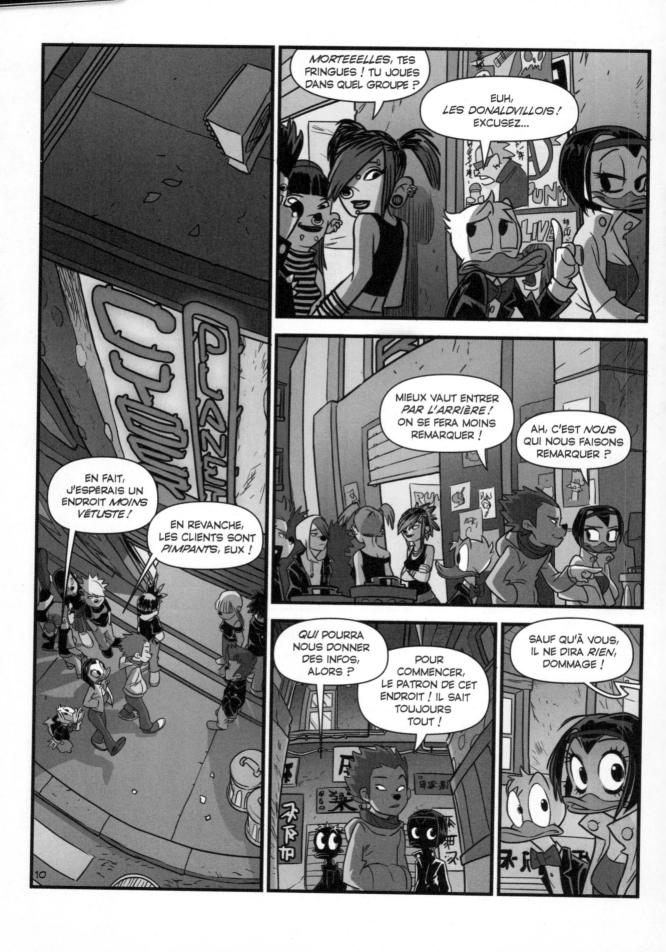

GRRR ! TU VAS ME LE PAYER !

"ON A TOUJOURS LE TEMPS, POUR PAYER", C'EST UN PROVERBE *BIEN CONNU* DE CEUX QUI ONT DES DETTES !

ONK

BIEN JOUÉ ! JE COMPTAIS JUSTEMENT SUR TA RAPIDITÉ !

CE N'ÉTAIT RIEN COMPARÉ À TOI ! QUEL ÉCLAIR !

QUI SONT-ILS ? ET POURQUOI VOULAIENT-ILS NOUS ENLEVER ?

UNE QUESTION À LA FOIS ! COMMENÇONS PAR LEUR IDENTITÉ !

EN VOILÀ UN JOLI PERMIS DE CONDUIRE !

WANG BAOLIN

SON COMPARSE EN A UN, LUI AUSSI !

PARFAIT ! JE LES PHOTOGRAPHIE ET LES ENVOIE À LA "RÉDACTION" !

12

... ET L'ENTRÉE EST SOUS BONNE GARDE !

BONNE GARDE... MAIS CERTAINS Y PÉNÈTRENT SANS PROBLÈME !

DES RESTAURATEURS !

QU'EST-CE QUI TE VIENT À L'ESPRIT ?

QU'IL EST L'HEURE DE NOUS OFFRIR UN PETIT CASSE-CROÛTE !

ITALIAN RESTAURANT

HOME & Delivery

SALUT, LES AMIS ! ÇA NE VOUS FATIGUE PAS TROP, TOUT ÇA ?

QUOI ?

ALLEZ, FAITES DONC UNE PAUSE !

TOUSSE...

PFTF

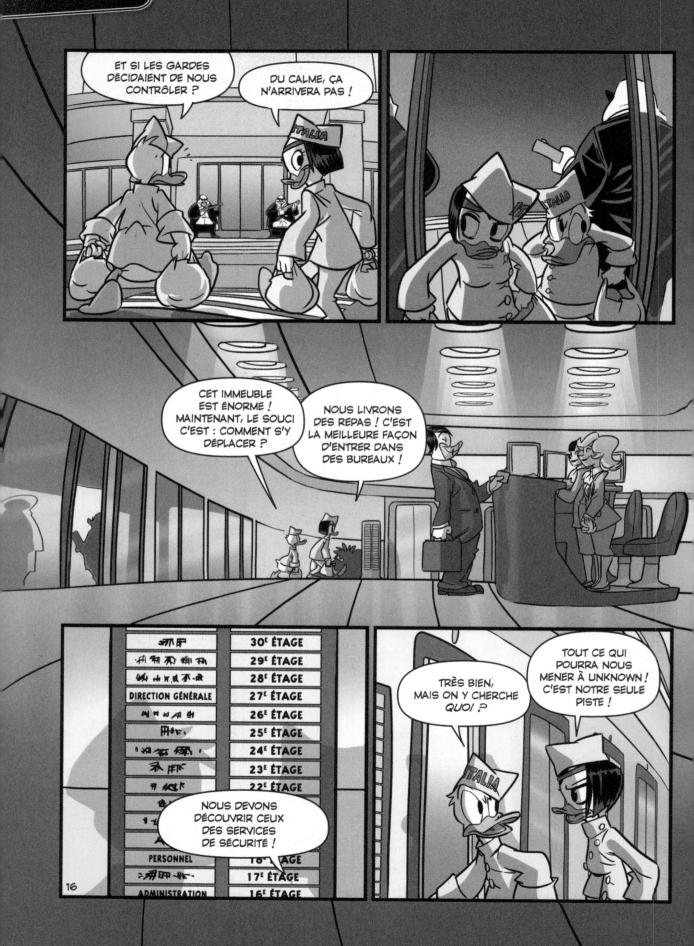

MIEUX VAUT TOUT VOUS RACONTER DEPUIS LE DÉBUT ! L'HISTOIRE COMMENCE AVEC LA DISPARITION DE *JACOB*, UN MEMBRE *PARISIEN* D'UNKNOWN !

PUIS *QUATRE AUTRES* DISPARAISSENT ! EN *SUISSE*, EN *GRÈCE* ET *AU CANADA* ! C'EST LÀ QUE LES ATTAQUES DE BANQUE ONT COMMENCÉ...

ET TOUT LE MONDE EST PERSUADÉ QUE CE SONT *EUX* QUI LES ONT VOLÉES !

C'EST AUSSI CE QUE J'AI PENSÉ ! ET PUIS, J'AI REÇU *UN MESSAGE DE JACOB* !

"QUELQUES LIGNES CODÉES, QU'IL AVAIT DÛ RÉUSSIR À M'ENVOYER JE NE SAIS COMMENT..."

... POUR ME DIRE QUE LUI ET LES AUTRES ÉTAIENT *PRISONNIERS* DANS UN ENTREPÔT DE LA TRAXPO !

ALORS, TU ES VENUE À HONG KONG POUR TENTER DE LES LIBÉRER !

MAIS POURQUOI N'AS-TU PAS DEMANDÉ L'AIDE DE *LA POLICE* ?

ON SE MÉFIE D'EUX ! ILS FORMENT LE BRAS ARMÉ DU *SYSTÈME* !

CE N'EST PAS *MOI* QUI DIRAI LE CONTRAIRE ! HEUREUX DE VOUS REVOIR, LES AMIS !

KEN OKOSAWA, LE CHEF DU PROJET *"MNEMON*"* ?

ALORS, *L'ORGANISATION* EST DONC MÊLÉE À TOUT ÇA ?

VOIR SPG N°181 !

ÇA VEUT DIRE QUE LA TRAXPO N'EST QU'UNE COUVERTURE !

DISONS QUE C'EST UN DES VISAGES LÉGAUX QUI COUVRENT NOS *VRAIES* ACTIVITÉS !

POURQUOI NOUS AVEZ-VOUS ENLEVÉS ? VOUS VOULEZ DISSOUDRE UNKNOWN ?

AU CONTRAIRE ! NOUS TENONS À *MAINTENIR* LE GROUPE EN EXCELLENTE SANTÉ !

OUI, POUR FORCER LES HACKTIVISTES À *VOLER* POUR VOUS !

FÉLICITATIONS, MA CHÈRE ! JE VOIS QUE VOUS AVEZ COMPRIS !

25

LE CRIME INFORMATIQUE REPRÉSENTE LA DERNIÈRE FRONTIÈRE, MAIS IL NOUS FAUT DES TECHNICIENS TRÈS HABILES, ET NOUS "N'ENRÔLONS" QUE *LES MEILLEURS* !

LE CENTRE DE *CRACKING* * MONDIAL DE L'ORGANISATION !

MES AMIS QUI ONT DISPARU... ILS SONT TOUS LÀ !

* UTILISATION DE MANIÈRE ILLICITE DES TECHNIQUES D'INTRUSION INFORMATIQUE.

MISS BOOTS IRA LES REJOINDRE ! MAIS VOUS, VOUS ALLEZ NOURRIR LES POISSONS DE LA BAIE !

MERCI, MISTER OKOSAWA ! C'EST TOUT CE QU'ON VOULAIT SAVOIR !

VOUS AVEZ ENTENDU, CAPITAINE ZHAO ? C'EST BON, VOUS POUVEZ INTERVENIR !

?

27

TU TE SOUVIENS, QUAND JE SUIS ALLÉ AUX TOILETTES ? DANS LE COULOIR, J'AI VU UN PAPIER QUI DÉPASSAIT D'UNE ÉTAGÈRE...

"C'ÉTAIT UN DOSSIER SUR IRMA, REMPLI DE PHOTOS ! ALORS QUE TU AVAIS DIT NE PAS SAVOIR À QUOI ELLE RESSEMBLAIT !"

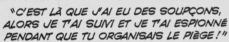

"C'EST LÀ QUE J'AI EU DES SOUPÇONS, ALORS JE T'AI SUIVI ET JE T'AI ESPIONNÉ PENDANT QUE TU ORGANISAIS LE PIÈGE !"

ALORS J'AI AVERTI LA POLICE, ET NOUS AVONS JOUÉ LE JEU POUR VOUS COINCER !

GRRR ! TON ERREUR TE COÛTERA CHER !

GLOUPS !

OPÉRATION TERMINÉE ! AUCUN BANDIT NE S'EST ÉCHAPPÉ DE NOTRE FILET !

EXCELLENT TRAVAIL, CAPITAINE ! MAIS N'OUBLIEZ PAS LA TRAXPO... VOUS TROUVEREZ SÛREMENT D'AUTRES SURPRISES À LEUR SIÈGE !

29

IL NE FAUT PAS VOLER
CE QU'ON PEUT TROUVER
DANS LES POCHES
DE SON VOISIN...

35

RIRES EN BARRES & CRISES DE BEC !

✪ LA BONNE PAROLE !

Un pirate se promène avec son fils...
- Oh Papa! Il est joli ce navire!
- Bof, mais tu vois, ce n'est pas
un navire, c'est un yacht.
- T'écris ça comment, yacht?
- Euh... Non, t'as raison en fait,
c'est bien un navire...

✪ BOISSON DANGEREUSE !

Après avoir vidé un tonneau
de rhum, un flibustier réclame:
- Passe-moi un autre tonneau!
- Si tu bois encore, tu vas exploser!
- Alors, passe-moi le tonneau
et écarte-toi d'un mètre!...

✪ QU'Y A-T-IL SOUS LE MILLION ?

Un pirate vient de se faire
dérober son butin...
- Marins d'eau douce!
Ils m'ont volé un million!
- Du calme, cap'taine,
ils auraient pu prendre
un lion en entier...

✪ ALERTE COULANTE !

Le cuisinier sort de sa cambuse...
- Quelqu'un à la mer!
- Qui donc? s'affole le capitaine.
- Le camembert! Il a coulé!

✪ SOMMEIL ÉQUILIBRÉ...

Deux pirates discutent:
- A ton avis, pourquoi les oiseaux
échassiers dorment sur une patte?
- Ben, s'ils levaient les deux,
ils se casseraient le bec, patate!

les petits boulots de Donald

Les petits boulots de Donald

DONALD
DÉTECTIVE PRIVÉ
RECHERCHES
FILATURES

TOC TOC TOC TOC

FJM 03729 G

JE VIENS POUR UNE DISPARITION...

M'OUI...

VOUS POUVEZ ME FAIRE UNE DESCRIPTION ?

BIEN ENTENDU !

OREILLES EN POINTE... FINES MOUS-TACHES...

CRÂNE RASÉ...

YEUX VITREUX... NEZ CASSÉ... MÂCHOIRE PROÉMINENTE...

?

TORSE MUSCLÉ DE BRUTE ÉPAISSE... BÊTE COMME SES PIEDS...

!

EUH... EXCUSEZ-MOI... VOUS TENEZ *ABSOLUMENT* À SAVOIR OÙ IL EST ?

BEN OUI...

...: SURTOUT POUR *ÉVITER* DE LE REN-CONTRER !

!!

TAPATAP TAPATAP

303

UN PIRATE SANS TRÉSOR, C'EST COMME TARZAN SANS SLIP !!!

✪ GRATTAGE PERDANT !
Deux pirates se rencontrent...
- Tiens, tu as un crochet à la place de la main, maintenant ?
- Oui, je l'ai perdue en attaquant un galion espagnol !
- Et ta blessure à la joue ?
- Ça c'est un moustique...
- Mais il était énorme !
- Non, c'est quand j'ai voulu me gratter avec mon crochet...

✪ ASTROLOGIQUE !
Le capitaine Durok et son second contemplent les étoiles...
- Chef, vous croyez que la Lune est habitée ?
- Bien sûr, bougre d'andouille ! Tu vois bien qu'ils l'allument tous les soirs !!!

✪ DISCUSSION MARINE...
Après le naufrage de son navire, un pirate dérive sur son canot... Un requin arrive...
- Alors cap'taine, c'est donc avec cette coquille de noix que tu vas conquérir les mers ?
- Ça alors ! C'est la première fois que je vois un requin qui parle !
- Moi aussi, dit la rame !
- Mais tais-toi et rame, ajoute la barque...

✪ VOL DE FUITE !
Deux mousses viennent voler des provisions dans la cambuse... Furieux, le cuisinier les poursuit !
- Vite, prenons le large !
- Mais qu'est-ce qu'on va bien pouvoir en faire ?

✪ LE POINT DE VUE...
Après avoir cassé sa longue-vue, un pirate s'arrête dans un port pour en acheter une nouvelle.
- Oui monsieur, mais c'est pour regarder de près ou de loin ?
- À travers, marin d'eau douce !

✪ DÉBOUSSOLANT !
Le comble de la boussole ?
Être à l'ouest et perdre le nord...

✪ LANGUE DE SOURD !
Le singe du capitaine Barbossa discute avec le perroquet de Jack Sparrow :
- Toi, tu ne sais rien faire ! Alors que moi, je fais comme les humains... je mange avec les mains et j'aime me gratter sous le bras !
- Oui, mais toi tu ne parles pas !
- Ah bon ? Et qu'est-ce que je fais avec toi depuis un quart d'heure ?

✪ LE FRUIT DE LA DISCORDE !
Affamé, le capitaine Jack Sparrow demande à son mousse :
- Miam miam ! Où as tu trouvé ces délicieuses papayes ?
- A Tortuga, mon cap'taine !
- Et tu sais où je pourrais trouver des dattes ?
- Oui cap'taine, sur le calendrier !

★ PAROLE DE COCO !
Deux capitaines pirates discutent :
- Moi, mon trésor est gardé par un tigre !
- Moi c'est par mon perroquet Coco !
L'autre capitaine éclate de rire et revient la nuit voler le butin de son confrère... Mais arrivé dans la cale, il entend une petite voix :
- Brutus, Médor, Sultan et Colossus, attaquez ! Et pas de quartier !

✪ ASTUCE MÉDUSANTE !
Jack Sparrow accroche des petits drapeaux roses le long du navire... Will Turner lui demande :
- Mais que fais-tu ?
- Les drapeaux roses font fuir les méduses mutantes !
- Mais il n'y a jamais eu aucune méduse mutante par ici !
- Ben tu vois, ça marche !

✪ UN OS DANS LA TÊTE !
Sur un navire pirate, un matelot peint le drapeau. Saisi d'un doute, il demande au capitaine :
- Quels sont les os du crâne ?
- Zut de flûte, j'ai oublié leur nom... Pourtant, je les avais tous en tête !

SI LES LENTILLES VOUS FONT PÉTER, PORTEZ DONC DES LUNETTES...

PAFF

UN PIRATE SANS NAVIRE, C'EST COMME UN NAVIRE SANS PIRATE !

39

✪ BRICO DE PEAU...
Un bateau vient de couler, les marins sont tous à l'eau...
- Moi j'te dis, tu devrais pas faire la planche...
- Ben pourquoi ? C'est pratique !
- Peut-être, mais cette mer est infestée de requins-marteaux et de poissons-scies...

✪ GOÛT DE LA DÉCOUVERTE !
Un pirate rapporte des épices et des mets nouveaux à sa femme...
- Tiens, voici du café et du sucre.
- C'est quoi, le sucre ?
- Je sais pas trop... Mais tu verras, ça donne mauvais goût au café si t'oublies d'en mettre dedans !

✪ CUEILLETTE AVIAIRE...
Un pirate achète deux perroquets, un rouge et un vert. Les deux s'échappent et vont se poser sur un arbre. Le pirate demande alors à son mousse d'aller les récupérer, mais celui-ci ne revient qu'avec le perroquet rouge :
- Mais où est le vert ?
- Je ne l'ai pas encore ramassé, chef. J'attends qu'il soit mûr...

★ T'AS TOUT BIEN COMPRIS ?
Le capitaine Davy Jones passe en revue tout son équipage. Il demande au vieux Ted :
- Ce chien, il est tatoué ?
- Ben pour sûr qu'il est à moué !!!

✪ DANGER FRUIT DE MER...
Le cuisinier de bord demande à un matelot :
- Sais-tu quel fruit les poissons redoutent le plus ?
- Euh... non, chef.
- Ben c'est la pêche, trognon !

✪ HYGIÈNE DENTAIRE !
Le capitaine des pirates donne une leçon d'hygiène aux membres de son équipage.
- Si vous ne vous brossez pas les dents, vous les perdrez toutes et vous vous en mordrez les doigts !

les petits boulots de Donald

ALORS, DONALD, C'EST VRAI CE QUE L'ON RACONTE...

FJM 03730G

... TU TE LANCES DANS L'ÉDITION ?

EH OUI, ONCLE PICSOU !

POUR L'INSTANT, IL ME MANQUE ENCORE L'ESSEN-TIEL : UN *BON* AUTEUR !

NE CHERCHE PLUS !

J'AI DES TONNES DE MANUSCRITS QUI NE DEMANDENT QU'À ÊTRE PUBLIÉS...

AH !?

TU VERRAS... C'EST PASSION-NANT !

SES LIVRES DE COMPTES...

... IL M'A REFILÉ SES LIVRES DE COMPTES !

DÉCOUVRE LEUR PASSÉ !
LES LÉGENDAIRES
origines

Par
Patrick Sobral
et Nadou

Tome 1 – DANAËL **Tome 2 – JADINA**

Tome 3 – GRYFENFER

DISPONIBLES AU RAYON BD

DELCOURT

ÉTÉ 2014

MICKEY
DÉTECTIVE INTRÉPIDE

Walt Disney

LA CITÉ SILENCIEUSE

MICKEY A PRIS QUELQUES VACANCES...

HÉ, HÉ ! L'EUROPE EST SPLENDIDE !

WOÂH, QUELLE VUE ! UN TEL PANORAMA MÉRITE UNE PETITE HALTE !

LA NATURE, LE COUCHER DE SOLEIL, LE SILENCE ! J'AIMERAIS QUE CET INSTANT DURE TOUJ...

TU-TIDELII-
TU-TITIII...

EUH, C'EST MINNIE, MA FIANCÉE...
COMMENT ÇA VA MA CHÉRIE ?

TRÈS BIEN,
TRÉSOR !
TU REVIENS
QUAND ?

SCOUITT !*

* PEUH !

43

JE SERAI RENTRÉ DANS DEUX, TROIS JOURS !
LES CARTES POSTALES ? NON, JE N'AI PAS (COMME
D'HABITUDE) OUBLIÉ DE LES ENVOYER !

GLOUPS !

MIEUX VAUT LES GARDER EN POCHE !
JE LES POSTERAI À L'AÉROPORT !

OH, OH ! SI J'Y ARRIVE ! J'AI AUSSI
OUBLIÉ DE... FAIRE LE PLEIN !

FUEL

TREUH
TREUH

JE SUIS ASSEZ DISTRAIT, CES DERNIERS TEMPS !
OÙ SE TROUVE LA STATION
LA PLUS PROCHE ?

CARTE
DE
L'EUROPE

VOYONS... IL Y EN A UNE À LA PRINCIPAUTÉ DE *FAIRLAFÊTE*, À QUELQUES KILOMÈTRES D'ICI !

45%

ATTENTION !
DESCENTE DANGEREUSE

AÏE ! NE TARDONS PAS ! CE VENT SOUDAIN NE PRÉSAGE RIEN DE BON !

GLOUPS ! JE L'AVAIS BIEN DIT !

FRRRRR

AH TIENS, AU MOINS, JE SUIS SUR LA BONNE ROUTE !

PRINCIPAUTÉ DE FAIRLAFÊTE 3 KM.

3

HEP, L'AMI, JE PEUX VENIR ?

OUI, GRIMPEZ AU VOL ! JE PROFITE DE LA PENTE !

JE NE COMPRENDS PAS SA FRAYEUR... CETTE VILLE EST *RAVISSANTE ET TRANQUILLE !*

FRRRRR

HUM... *TRÈS* TRANQUILLE ! JE NE VOIS NI VOITURES, NI POMPES À ESSENCE !

EXCUSEZ-MOI ! POURRIEZ-VOUS ME DIRE SI...

OH ? POURQUOI FUYEZ-VOUS ? QU'EST-CE QUE J'AI DIT ?

JE CHERCHE... INUTILE, ILS FUIENT *EUX AUSSI* !

EST-CE QUE JE LES AURAIS EFFRAYÉS ?
NON, JE N'AI PAS L'AIR SI AFFREUX !

?!

CAFÉ

SALUT LA COMPAGNIE !
JE SUIS À COURT
D'ESSENCE ET...

ZOU

OURG !
"JOIE ET HOSPITALITÉ",
HEIN ?

FRRR

SUPER FERMÉ

6

MAIS ENFIN, Y'A-T-IL QUELQU'UN,
ICI, POUR M'AIDER ?

TÛÛÛT
TÛÛÛT

MAIS QUE FAITES-VOUS ? *ARRÊTEZ!* LES GARDES VONT ARRIVER !

QUOI ?

VZZZZ·ZZZZZ

TROP TARD ! ILS SONT DÉJÀ LÀ... AVEC LES SONODRONES !

C'EST QUOI, LES SONODRONES ?

JE VOUS L'EXPLIQUERAI PLUS TARD ! DANS LE BASSIN, *VITE !*

MAIS... S'IL Y A UNE AMENDE À PAYER, JE PEUX...

ARGH !

VZZZZZ

BLOUB !

7

MINCE ! C'ÉTAIT UNE VOITURE DE LOCATION !

OUBLIEZ-LA ! TAISEZ-VOUS ET SUIVEZ-MOI !

QUI DIT VOITURE DIT AUSSI....

...CONDUCTEUR !!

TROUVONS-LE !!

NOUS SERONS EN SÉCURITÉ CHEZ MOI !

POUF...

C'EST BON, LES MURS SONT INSONORISÉS ! ON PEUT PARLER LIBREMENT À PRÉSENT !

AH, BON ?

9

EH BIEN, *JE SUIS TERRORISÉ !* QU'EST-CE QUI SE PASSE, ICI ?

HA, HA, HA !

EUH... DÉSOLÉ ! *UN POISSON* S'EST GLISSÉ SOUS MON PULL !

JE DISAIS DONC... NOUS SOMMES *PRISONNIERS* DE CE SILENCE !

HO, HO, HO !

EUH... *ENCORE* UN POISSON !

METTEZ-LE LÀ-DEDANS !

JE VAIS TOUT VOUS RACONTER DEPUIS LE DÉBUT, DU TEMPS OÙ LA TACITURNIE S'APPELAIT ENCORE FAIRLAFÊTE !

" IL Y A ENCORE QUELQUES ANNÉES, IL FAISAIT BON VIVRE DANS NOTRE PAYS ! LES TOURISTES VENAIENT PAR CARS ENTIERS S'AMUSER DANS NOS PARCS D'ATTRACTIONS ! "

BIENVENUE A FAIRLAFÊTE

PAYS DE LA JOIE ET DE L'HOSPITALITÉ

" SUR LES PLACES, DANS LES RUES... PARTOUT, ON ENTENDAIT DES RIRES ET DE LA MUSIQUE ! "

" PUIS UN JOUR, LE PRINCE ACTUEL, TACITUS Ier, EST MONTÉ SUR LE TRÔNE ! "

JE SERAI UN SOUVERAIN BON ET JOYEUX !

HOURRA !

" MAIS TACITUS N'A PAS TENU SES PROMESSES ! AU BOUT DE QUELQUES JOURS SEULEMENT... "

MGNF ! CETTE VILLE EST DEVENUE TROP BRUYANTE ! J'EN AI MAL À LA TÊTE !

11

" LE SOUVERAIN ORDONNA À L'INVENTEUR DE LA COUR DE CONSTRUIRE UNE MACHINE QUI MESURERAIT TOUTE SOURCE DE BRUIT ! "

VOICI LE DÉCIBELION, SIRE !

J'AVAIS RAISON, IL Y A TROP DE BRUIT ! INVENTEUR, CONSTRUISEZ *DES MACHINES* POUR FAIRE RESPECTER LE SILENCE !

C'EST *DÉJÀ* FAIT ! VOICI LES *SONODRONES* ! ILS VOUS DÉBARRASSERONT AUTOMATIQUEMENT DE TOUTE SOURCE DE BRUIT EXCESSIF !

GLOUPS ! J'AI DONC FAILLI FINIR COMME MA VOITURE ?

OH, NON ! ILS VOUS AURAIENT *RECRACHÉ* ET MIS EN *PRISON* !

EH BIEN... MAIS DITES-MOI, *COMMENT* EN ÊTES-VOUS ARRIVÉS À CE SILENCE TOTAL ?

LES MIGRAINES DU PRINCE PERSISTAIENT, ALORS CHAQUE JOUR, IL *BAISSAIT* UN PEU LA *TOLÉRANCE* SONORE DU DÉCIBELION !

JE NE VEUX *PLUS* ENTENDRE *UNE MOUCHE VOLER !* BAISSEZ ENCORE !

GLOUPS ! PLUS QUE ÇA ?

TU VAS VOIR QU'UN JOUR, ON *NE POURRA PLUS PARLER* !

" HÉLAS, CE JOUR ÉTAIT DÉJÀ ARRIVÉ ! LE DÉCIBELION ÉTAIT DEVENU TELLEMENT SENSIBLE AU BRUIT QUE PERSONNE NE POUVAIT PLUS S'EN APPROCHER ! "

ARGH !

PFFF ! LES TOURISTES NE VINRENT PLUS À FAIRLAFÊTE ET NOMBRE DE NOS CONCITOYENS ABANDONNÈRENT CET ENDROIT... QU'ON APPELLE TACITURNIE À PRÉSENT !

OOOH !

13

VOTRE SOUVERAIN EST UN VRAI *DESPOTE !*

EH, ALLEZ-Y DOUCEMENT ! APRÈS TOUT, LE PRINCE EST... *MON FRÈRE !*

EH BIEN IL N'EN EST *PAS MOINS* UN DESPOTE ! ET *CELUI* QUI A INVENTÉ CETTE MONSTRUOSITÉ EST *UNE CANAILLE !*

OH... J'OUBLIAIS, ON N'A PAS FAIT LES PRÉSENTATIONS !

MICKEY, TOURISTE !

MILIUS, FRÈRE DU PRINCE ET *INVENTEUR* DE LA COUR !

HEIN ? C'EST DONC *VOUS* QUI...

JE L'AI BIEN REGRETTÉ, CROYEZ-MOI ! ET... J'Y REMÉDIERAI !

REPOSEZ-VOUS MAINTENANT ! DEMAIN, JE VOUS EMMÈNE VISITER LA VILLE... ET D'AUTRES CHOSES TRÈS INTÉRESSANTES !

14

LE LENDEMAIN...

TENEZ ! TOUS LES TACITURNIENS ONT SUR EUX UN PAQUET DE PHRASES *PRÉ-IMPRIMÉES* !

ESSAYEZ DONC !

HUM...

SALUT, MON VIEUX ! COMMENT ÇA VA ?

PAS MAL, MERCI !

VOUS VOYEZ ?

PAS MAL !

SALUT, MON VIEUX ! COMMENT ÇA VA ?

PAS MAL, MERCI !

SALUT, JEUNE HOMME ! COMMENT ÇA VA ?

PAS MAL, MERCI !

YAAAH !

CUI-CUI !

HÉ !

15

DES NOUVELLES DU CONDUCTEUR ?

ET EUX ?

PEUH ! IL A DÉJÀ DÛ S'ENFUIR...

CE SONT LES SILENCIERS ! ILS ONT UNE CASQUETTE SPÉCIALE QUI VISUALISE LES MOTS !

C'EST AUSSI MOI QUI LES AI INVENTÉES !

DRING

JE VAIS VOUS MONTRER COMMENT JE COMPTE ARRANGER TOUT ÇA !

?

LE MOT DE PASSE

200 GRAMMES DE LENTILLES

16

TSS, TSS !

200 GRAMMES DE LENTILLES

TU VEUX *DEUX ŒUFS* BROUILLÉS, L'AMI ?

?

ON INSONORISE LES MURS, AVEC LEURS *BOÎTES !*

TRRRL

GLOUPS ! QUELLE... EUH... JOYEUSE AMBIANCE !

IDÉALE POUR METTRE AU POINT *NOTRE PLAN !*

NOUS VOULONS *DESTITUER* LE PRINCE !

POoOOooo

ON A *LES HOMMES...*

... ET ON A *LES MOYENS...*

18

IL NE NOUS MANQUE *QU'UNE* TOUTE PETITE CHOSE...

... UN LEADER !

OH ?

HOURRA POUR MICKEY !

HOURRA POUR NOTRE CHEF !

TRALALÈRE, TRALALA !

TU TE SENS VRAIMENT *PRÊT* À NOUS GUIDER ?

OUI, MAIS À *UNE* CONDITION !

CETTE RÉVOLUTION DOIT ÊTRE *PACIFIQUE* !

OUIII !

J'EXPOSERAI VOS RAISONS AU PRINCE, DE MANIÈRE CALME, MAIS *DÉTERMINÉE* !

Ô GRÂCIEUX SOUVERAIN, NOUS SAVONS QUE VOUS ÊTES

AFFLIGÉ D'AFFREUSES MIGRAINES

MAIS NE COMPRENEZ-VOUS PAS

QU'À CAUSE DE VOUS, VOTRE PEUPLE SOUFFRE ?

À VOTRE

POLITIQUE DU SILENCE

NOUS SOMMES ICI POUR ~~DONNER~~

UN SIGNE ~~DE~~ PROTESTATION CIVILE

GAAAAAAARDE!

MAIS...

OH, NON ! J'AI MÉLANGÉ MON DISCOURS AVEC *LA LISTE DES COURSES* !

MAIS VOUS NE COMPRENEZ PAS

ET...

HONTE À TOI, MILIUS ! COMPLOTER AINSI CONTRE *TON PROPRE FRÈRE* ET PRINCE !

PRISON ANTIBRUIT

ET VOUS, VOUS DITES QUE... LE PEUPLE N'EST VRAIMENT PAS *CONTENT* DE MOI ?

C'EST EXACT ! LES GENS AIMERAIENT SEULEMENT POUVOIR PARLER *LIBREMENT* !

NE CRIEZ *PAS*, S'IL VOUS PLAÎT ! MA MIGRAINE...

TANT PIS ! D'HABITUDE, QUAND ON A MAL AU CRÂNE, ON CHERCHE À *SE SOIGNER*, PAS À FAIRE TAIRE TOUTE UNE VILLE !

24

QUAND BIEN MÊME *LE VOUDRAIS-JE*, JE NE POURRAIS *RIEN FAIRE* ! ON NE PEUT S'APPROCHER DU DÉCIBELION !

ON SE DEMANDE À CAUSE DE QUI...

MALHEUREUSEMENT, LA COUR EST COUVERTE DE GRAVIER TRÈS BRUYANT !

CRR CRR

VZZZZZZZZ

?

VOUS VOYEZ ?

AÏE !

NUL NE PEUT LA TRAVERSER !

FUMP

NON ! À MOINS QUE... HUM... HUM... HUM...

MIAOUUU !

J'AI UNE IDÉE ! MAIS POUR LA RÉALISER, NOUS DEVONS *SORTIR* D'ICI !

ATTIRONS UN GARDE ET *ASSOMMONS-LE* À COUP DE SAUCISSON !

IL Y A PEUT-ÊTRE UN *MEILLEUR* MOYEN...

NOUS ALLONS *TENDRE LA CORDE* AU-DESSUS DU DÉCIBELION ! UNE FOIS À SA *PERPENDICULAIRE*, JE LE *RÉINITIALISERAI* EN M'AIDANT DE LA PERCHE !

LAISSE-MOI FAIRE ! J'ATTEINS TOUJOURS MA CIBLE !

FWISSS

OK!

BRAVO!

CLAP! CLAP!

DANS LA GUEULE DU LOUP !

200 GRAMMES DE LENTILLES

28

GROUMPF ! J'AURAIS CRU QUE CE SERAIT PLUS FACILE...

29

31

PLUS TARD...

ET VOILÀ, MAJESTÉ ! C'EST ÇA, UN PEUPLE HEUREUX !

NE SOIS PAS SÉVÈRE, MICKEY ! APRÈS TOUT, C'EST GRÂCE À SA... *DISTRACTION VOLONTAIRE* SI NOUS SOMMES LIBRES !

HURRAH !

NON, MILIUS, J'AI ÉTÉ IMPARDONNABLE !

POUR UNE SIMPLE MIGRAINE, J'AI FAIT *SOUFFRIR* MON PEUPLE ! JE NE MÉRITE PAS DE RÉGNER... MAIS *TOI*, OUI !

POP

OH... *PAR EXEMPLE* ! MA DOULEUR A CESSÉ D'UN SEUL COUP !

HEIN ? MAIS ALORS...

EH, TACITUS ! CETTE COURONNE EST *TROP SERRÉE* ! C'EST *POUR ÇA* QUE TU AVAIS *MAL AU CRÂNE* !

OOOH !

EH BIEN... J'ESPÈRE QUE VOUS VOUS CONTENTEREZ DE LA RENDRE *PLUS LÉGÈRE*, MILIUS !

FINALEMENT...

MERCI POUR TOUT, MICKEY !

REVIENS NOUS VOIR QUAND TU AURAS ENVIE DE... *FAIRE LA FÊTE !*

75

QUELQUES JOURS PLUS TARD, À MICKEYVILLE...

ET VOILÀ, MINNIE ! QUELLE AVENTURE *FANTASTIQUE !*

HUM... OUI, OUI... MAIS *DIS-MOI...*

DU COUP, TU N'AS *PAS ENVOYÉ* LES CARTES POSTALES, HMM ?

EUH...

34

PROCHAIN NUMÉRO, MICKEY RETROUVE L'AMI DINGO !
POUR RÉSOUDRE UNE HISTOIRE EMBOUCHÉE DE BOUTEILLES SONORES...

ENQUÊTES & ÉNIGMES

DANGER TRAVAUX

Tout petit, Magneto rêvait déjà de plier tous les métaux à sa volonté. Trouve vite les deux détails tirés du grand dessin avant que notre ami se fatigue!

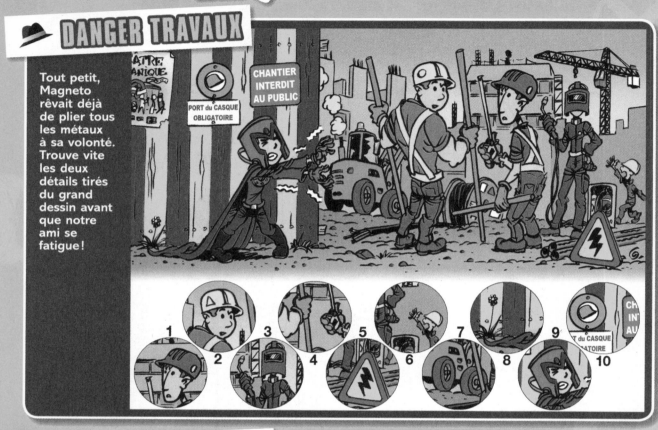

TRI DE MUTANTS

Aide le professeur Xavier à trouver son mutant égaré, sachant que celui-ci a les yeux blancs, porte du bleu, n'a pas de griffes, n'a pas de cheveux blancs. Enfin, utilise les lettres colorées pour trouver le dernier indice qui révélera le coupable!

1. Aide notre superhéros à rattraper l'infâme supervilain, en bas de la page à l'échelle 21! Démarre à l'échelle 1, tu as le choix entre deux échelles. Chaque échelle a son double avec le même numéro. Exemple, s'il prend la 13, il ressort par l'autre échelle 13. Fais les bons choix!

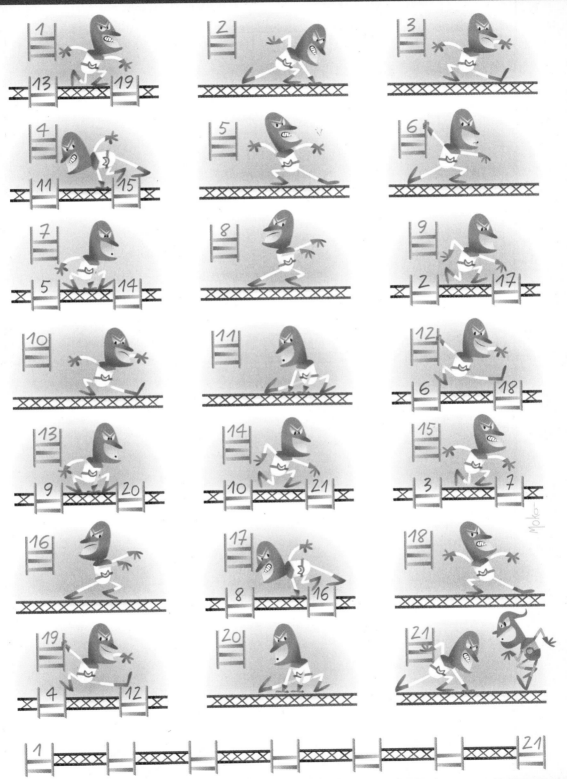

2. Toutes les représentations de ce superhéros sont en double, sauf une. Laquelle?

BIFTOU TÉLÉPATHIQUE

Retrouve, dans la grille, les mots de la liste. Ils peuvent s'écrire dans tous les sens, même en diagonale et à l'envers. Une lettre peut servir plusieurs fois. Quand tous les mots sont rayés, il reste six lettres dans la grille qui forment un mot. Lequel ?

M	E	R	B	A	S	E	D	T	N	E	D
T	A	G	M	J	E	A	N	G	R	E	Y
E	O	L	A	E	T	I	N	A	M	U	H
E	P	R	I	Y	C	E	R	E	B	R	O
P	U	U	N	C	O	C	O	M	B	A	T
O	T	X	O	A	I	V	M	O	N	D	E
L	E	M	T	R	D	A	E	T	T	U	L
C	M	E	A	E	G	E	K	E	L	L	Y
Y	P	N	M	N	P	O	U	V	O	I	R
C	S	M	E	U	Q	I	T	S	Y	M	N
T	O	T	D	U	A	P	A	R	C	E	L
H	O	S	U	P	E	R	H	E	R	O	S

CEREBRO	JEAN GREY	POUVOIR
COMBAT	KELLY	SUPER
CYCLOPE	LE CRAPAUD	HEROS
DENT DE	LUTTE	TEMPS
SABRE	MAGNETO	TORNADE
GROUPE	MALICIA	VOYAGE
HOMME	MONDE	X-MEN
HUMANITE	MYSTIQUE	

JUMEAUX

Quels sont les deux sosies de Magneto qui se ressemblent trait pour trait ?

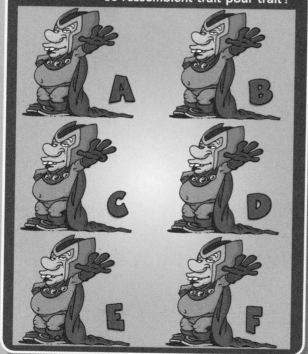

PÊLE-MÊLE

Wolverine a chipé le gros aimant de Magneto. Sauras-tu, d'un seul coup d'œil, découvrir combien d'aimants sont emmêlés ?

ELECTRO

As-tu le superpouvoir de trouver les cinq points communs entre ces deux scènes en moins de trois secondes?

F. Müller

À... LASSO !

ATTRAPEZ-LE !

Aide Supertruffe et son fidèle assistant La Quenotte à attraper Magnitourix, le fan maladroit de Magneto ! Mais tu dois lui indiquer quel lasso projeter mentalement !

EN VRAC

L'inspecteur Bolomco adore les X-Men, mais il se demande si ces accessoires sont à leur place. Sauras-tu dénicher les intrus, ainsi que l'accessoire en triple exemplaire et celui qui est unique?

79

TEST XXL — QUEL X-MEN SERAIS-TU ?

Quel X-Men serais-tu contre Magneto? Quels superpouvoirs de mutant utiliserais-tu pour enquêter contre lui et l'empêcher de tyranniser le monde?

1. Incroyable ! Tu as muté cette nuit et te réveilles avec...
- ☐ Deux ailes dans le dos.
- ☐ Une mémoire d'éléphant.
- ☐ Des griffes de tigre.

2. Il te faut choisir ton camp : Magnéto ou les X-Men ! Tu...
- ☐ Réfléchis, isolé au cœur d'une forêt.
- ☐ Evalues l'activité des deux camps depuis un nuage.
- ☐ Prends l'avis de Jean Grey la télépathe.

3. Les projets de Magneto sont sinistres ! Tu rejoins les X-Men sous le nom de...
- ☐ Grizzly.
- ☐ Ouragan.
- ☐ Neurone.

4. Tu infiltres le repère de Magneto en...
- ☐ Te métamorphosant en courant d'air.
- ☐ Creusant une galerie souterraine.
- ☐ Piratant ses défenses informagnétiques.

5. Contre Magneto, tu assumerais le risque...
- ☐ D'utiliser le dangereux pouvoir de projeter la foudre.
- ☐ D'un combat à mains nues.
- ☐ De lancer tous les X-Men à l'assaut.

6. Tu te découvres le nouveau superpouvoir...
- ☐ De transformer ta peau en blindage invincible.
- ☐ De t'autocloner pour former une équipe.
- ☐ D'hypnotiser n'importe qui.

7. Tu remontes le temps pour coincer Magneto et...
- ☐ L'emprisonner dans la glace à l'aide d'Iceberg.
- ☐ L'affronter seul quand il était moins puissant.
- ☐ Envoûter son cerveau pour le rendre bon.

8. Raté ! Tu as été trop loin dans le temps et te retrouves à l'époque...
- ☐ Des philosophes grecs.
- ☐ Des hommes préhistoriques.
- ☐ De la création de la Terre.

CODE MUTIQUE

Décode vite ce message et tu découvriras pourquoi Wolverine se plaint...

FUTOSHIKI

Chaque ligne et chaque colonne doivent contenir, une seule fois, les chiffres de 1 à 5. Aide-toi des symboles > (plus grand que) et < (plus petit que) déjà en place.

SUDOKU

Chaque ligne, chaque colonne et chaque carré de 9 cases doivent contenir les chiffres de 1 à 9, une fois seulement.

		3	8				1	
			5		3			
7	6			1				8
9	1		7	6				
	7	2				8	6	
					1		7	4
8				3			9	7
		2			7			
	2				5	6		

RETROUVE LES SOLUTIONS DES JEUX MYSTÈRES PAGE 192 !

LES ENQUÊTES DE MATT LAMITE

Voici une bien étrange histoire dont Matt va devoir s'occuper. Et toi, as-tu le superpouvoir de résoudre cette énigme tout seul ou devras-tu regarder la solution, comme un humain ?

ALORS, COMMISSAIRE ?

OHHH... IL EST À RAMASSER À LA PETITE CUILLÈRE, LE PAUVRE...

JE SERAIS PAREIL À SA PLACE... SE FAIRE VOLER LE SCÉNARIO DU PROCHAIN X-MEN EST UNE VÉRITABLE CATASTROPHE !

ON A UNE PISTE...

TROIS FOIS RIEN, REGARDEZ-ÇA...

C'EST LA CAMÉRA DE SURVEILLANCE DE SON BUREAU...

TENEZ, LÀ ! VOICI NOTRE VOLEUR !

IL A COPIÉ LE FICHIER INFORMATIQUE ET A ENSUITE CRAMÉ LE DISQUE DUR...

00:43

SELON NOTRE SCÉNARISTE, DEUX PERSONNES AURAIENT PU FAIRE LE COUP !

TENEZ, VOICI LEURS ADRESSES !

TOC TOC TOC

OUI ?

INSPECTEUR MATT LAMITE !

JE VIENS AU SUJET D'UN VOL QUI A EU LIEU HIER SOIR, D'AILLEURS... QUE FAISIEZ-VOUS CETTE NUIT, À UNE HEURE DU MATIN ?

J'ÉCRIVAIS LA SUITE DE MA PROCHAINE BD COMICS... UNE HISTOIRE DE SUPER-HÉROS, COMME D'HABITUDE...

TENEZ, J'EN AI MÊME LA PREUVE, CAR J'AI FAIT UNE PHOTO D'ÉCRAN POUR ENVOYER À UN DE MES POTES !

TOC TOC

OUI ?

INSPECTEUR MATT LAMITE ! J'AIMERAIS VOUS PARLER !

QUE FAISIEZ-VOUS HIER SOIR ENTRE MINUIT ET UNE HEURE DU MATIN, MONSIEUR ?

OH, JE TRAVAILLAIS SUR UN SCÉNARIO QUI SERA ADAPTÉ AU CINÉMA... UN TRUC AVEC DES TYPES AYANT DES SUPERPOUVOIRS !

TENEZ, VÉRIFIEZ VOUS-MÊME...

JE ME SUIS MÊME PRIS EN PHOTO !

JE VOUS ENVERRAI DES PLACES LORS DE LA PREMIÈRE, SI VOUS VOULEZ, INSPECTEUR !

AH, MATT... ALORS, QU'EST-CE QUE ÇA A DONNÉ ?

L'UN DES DEUX M'A PRIS POUR UN DÉBUTANT...

VOUS VOULEZ SAVOIR LEQUEL ?

ET TOI... AS-TU RÉUSSI À DÉMASQUER LE COUPABLE ?

DONALD
BAIN DIS DONC !

LA PLUPART DES GENS PENSENT QUE C'EST IMPOSSIBLE, POURTANT DONALD L'A FAIT ! GRÂCE À UN COURS PAR CORRESPONDANCE, IL SE RETROUVE *MAÎTRE NAGEUR* À LA PISCINE DU COUNTRY CLUB DE DONALDVILLE...

C'EST LA PISCINE LA PLUS *HUPPÉE* DE LA VILLE ! AVEC TOUS CES RICHES À SURVEILLER, JE DOIS ÊTRE IRRÉPROCHABLE ! NE SERAIT-CE QUE POUR LES *GROS POURBOIRES* !

RESPECTEZ LE *RÈGLEMENT*, LES JEUNES ! PAS DE BAGARRES DANS L'EAU !

D 2003-177

TRÈS BIEN ! ÇA FAIT CHAUD AU CŒUR DE VOIR DES BAIGNEURS AUSSI SÉRIEUX !

EXCUSEZ-MOI, MONSIEUR ! SAVIEZ-VOUS QUE LA *DOUCHE* EST *OBLIGATOIRE* AVANT DE SE BAIGNER ?

OUI ! JE VIENS DE LA PRENDRE !

AH ! ÇA NE SE VOIT *PAS* ! POURRIEZ-VOUS AVOIR L'OBLIGEANCE DE RETOURNER VOUS DOUCHER ?

M-MAIS...

BONK !

HOLÀ, LES ENFANTS ! ON NE JOUE PAS AU BALLON PRÈS DE LA PISCINE !

1

JE VIENS AU SUJET D'UN VOL QUI A EU LIEU HIER SOIR, D'AILLEURS... QUE FAISIEZ-VOUS CETTE NUIT, À UNE HEURE DU MATIN ?

J'ÉCRIVAIS LA SUITE DE MA PROCHAINE BD COMICS... UNE HISTOIRE DE SUPER-HÉROS, COMME D'HABITUDE...

TENEZ, J'EN AI MÊME LA PREUVE, CAR J'AI FAIT UNE PHOTO D'ÉCRAN POUR ENVOYER À UN DE MES POTES !

TOC TOC

OUI ?

INSPECTEUR MATT LAMITE ! J'AIMERAIS VOUS PARLER !

QUE FAISIEZ-VOUS HIER SOIR ENTRE MINUIT ET UNE HEURE DU MATIN, MONSIEUR ?

OH, JE TRAVAILLAIS SUR UN SCÉNARIO QUI SERA ADAPTÉ AU CINÉMA... UN TRUC AVEC DES TYPES AYANT DES SUPERPOUVOIRS !

83

TENEZ, VÉRIFIEZ VOUS-MÊME...

JE ME SUIS MÊME PRIS EN PHOTO !

JE VOUS ENVERRAI DES PLACES LORS DE LA PREMIÈRE, SI VOUS VOULEZ, INSPECTEUR !

AH, MATT... ALORS, QU'EST-CE QUE ÇA A DONNÉ ?

L'UN DES DEUX M'A PRIS POUR UN DÉBUTANT...

VOUS VOULEZ SAVOIR LEQUEL ?

ET TOI... AS-TU RÉUSSI À DÉMASQUER LE COUPABLE ?

DONALD
BAIN DIS DONC !

LA PLUPART DES GENS PENSENT QUE C'EST IMPOSSIBLE, POURTANT DONALD L'A FAIT ! GRÂCE À UN COURS PAR CORRESPONDANCE, IL SE RETROUVE *MAÎTRE NAGEUR* À LA PISCINE DU COUNTRY CLUB DE DONALDVILLE...

C'EST LA PISCINE LA PLUS *HUPPÉE* DE LA VILLE ! AVEC TOUS CES RICHES À SURVEILLER, JE DOIS ÊTRE IRRÉPROCHABLE ! NE SERAIT-CE QUE POUR LES *GROS POURBOIRES* !

RESPECTEZ LE *RÈGLEMENT*, LES JEUNES ! PAS DE BAGARRES DANS L'EAU !

D 2003-177

TRÈS BIEN ! ÇA FAIT CHAUD AU CŒUR DE VOIR DES BAIGNEURS AUSSI SÉRIEUX !

EXCUSEZ-MOI, MONSIEUR ! SAVIEZ-VOUS QUE LA *DOUCHE* EST *OBLIGATOIRE* AVANT DE SE BAIGNER ?

OUI ! JE VIENS DE LA PRENDRE !

AH ! ÇA NE SE VOIT *PAS* ! POURRIEZ-VOUS AVOIR L'OBLIGEANCE DE RETOURNER VOUS DOUCHER ?

M-MAIS...

BONK !

HOLÀ, LES ENFANTS ! ON NE JOUE PAS AU BALLON PRÈS DE LA PISCINE !

JE VAIS ÊTRE OBLIGÉ DE VOUS LE *CONFISQUER*. JE VOUS LE RENDRAI LORSQUE VOUS PARTIREZ !

EH LÀ !

??!

QU'EST-CE QUI VOUS PREND ? VOUS ÊTES *FOU* !

OH ! PARDON, MADAME !

JE VOUS AVAIS PRISE POUR UN BALLON... JE VEUX DIRE... JE CHERCHAIS UN *GROS* BALLON, ET... EUH...

QUOI ? VOUS ME COMPAREZ À UN *GROS* BALLON ?

MAIS PAS DU TOUT, CHÈRE MADAME ! IMPOSSIBLE DE VOUS *CONFONDRE* AVEC UN OBJET ROND ET GROS ! *NAVRÉ* DE VOUS AVOIR IMPORTUNÉE, MADAME !

OUAPS !

OOOOOH !

SPLATCH !

OH ! CE MAÎTRE NAGEUR EST UN SACRÉ *ATHLÈTE* !

EN EFFET ! MAIS POURQUOI N'A-T-IL PAS CHOISI LE GRAND BAIN...

2

... PLUTÔT QUE LA PATAUGEOIRE ?

OUIIIN !

CHAQUE MATIN, L'ASSOCIATION FÉMININE DU COUNTRY CLUB SE RETROUVE AU JACUZZI ! ET CHAQUE MATIN, L'ORDRE DU JOUR CONSISTE À ÉCHANGER DES POTINS. LA PRÉSIDENTE DU CLUB EST MADAME VAN DUVAN...

SAVEZ-VOUS QUE ROSE KIPIC A UN *NOUVEAU* MAÎTRE D'HÔTEL ?

AH ? ET QU'AVAIT DONC FAIT L'ANCIEN ?

IL AVAIT OSÉ DEMANDER UNE *AUGMENTATION*, ALORS QUE LA DERNIÈRE REMONTAIT À PEINE À *DIX ANS* !

BIEN LE BONJOUR, MESDAMES !

VOUS AVEZ EFFECTUÉ UN PLONGEON *REMARQUABLE*, DONALD !

COMMENT TROUVEZ-VOUS MA *RIVIÈRE DE DIAMANTS* ?

ELLE EST SUPERBE, MAIS CE N'EST QU'UN RUISSEAU COMPARÉ À VOTRE SOURIRE, Mme VAN DUVAN !

AMUSEZ-VOUS BIEN ! À PLUS TARD !

AU REVOIR !

CE NOUVEAU MAÎTRE NAGEUR A DE LA CLASSE !

HUM ! QUI SONT *CES FEMMES* ? JE NE LES AI JAMAIS VUES ! CE DOIT ÊTRE LEUR PREMIÈRE VENUE, ICI !

BONJOUR, MESDAMES !

BONJOUR, MON POUSSIN ! ON T'A VU PLONGER ! *BEL EXPLOIT* !

C'ÉTAIT *FAN-TASTIQUE* !

AVEC UN MAÎTRE NAGEUR DE TON CALIBRE, MON CHOU, ON REDOUTE MOINS LE MOMENT DE SE METTRE À L'EAU !

SAVEZ-VOUS NAGER ?

GRANDS DIEUX, NON ! MAIS ON COMPTE APPRENDRE, UN DE CES JOURS !

À DIRE VRAI, NOUS AVONS PEUR DE L'EAU !

C'EST FACILE DE NAGER POUR DES PERSONNES AUSSI... EUH... ENROBÉES QUE VOUS, MESDAMES !

VOYEZ-VOUS, *FLOTTER* EST NATUREL ! JE VOUS APPRENDRAI SI VOUS LE SOUHAITEZ !

OH ! NOUS N'OSIONS PAS VOUS LE DE-MANDER !

NOUS SOMMES FIÈRES QU' UN PROFESSIONNEL COMME VOUS DAIGNE S'*INTÉRESSER* À NOS PETITES PERSONNES !

POURQUOI ATTENDRE ? COM-MENÇONS TOUT DE SUITE !

ALLEZ-Y, VOUS DEUX ! JE RESTE ICI ! JE... JE N'AI PAS ENCORE VAINCU MA PEUR DE L'EAU !

AINSI...

AU SECOURS ! À L'AIDE ! JE ME *NOIE* !

87

C'EST *IMPOSSIBLE*, MADAME ! VOUS AVEZ PIED ! C'EST LE BASSIN DES *DÉBUTANTS* !

J'AI SI PEUR ! TOUTE CETTE EAU... C'EST COMME DANS L'*OCÉAN* ! S'IL VOUS PLAÎT, MON POUSSIN, NE ME LÂCHEZ PAS OU JE RISQUE DE COULER DANS CE GOUFFRE !

CE GOUFFRE ? *CINQUANTE CENTIMÈTRES* !

4

CE QUE JE SUIS ÉMUE ! ÇA ME RAPPELLE MON PREMIER JOUR D'ÉCOLE... C'EST DIRE !

PENDANT QUE DONALD S'OCCUPE DE SES ÉLÈVES, LA TROISIÈME FEMME S'APPROCHE DU JACUZZI OÙ CES DAMES PAPOTENT !

C'EST LE MOMENT IDÉAL ! IL VA FALLOIR FAIRE VITE !

UN PEU DE *BAIN SUPER MOUSSANT* DANS L'EAU ! ÇA PROVOQUERA UNE TRÈS JOLIE EXPLOSION DE BULLES ! *HIN, HIN !*

PEU APRÈS...

IIIIHH !

J'AI LES YEUX QUI PIQUENT !

QUE SE PASSE-T-IL ?

HEIN ? DES APPELS À L'AIDE VIENNENT DE CE TAS DE BULLES ! ON NE M'A PAS PRÉPARÉ À FAIRE FACE À CE GENRE DE SITUATION, AU COURS DE MA FORMATION !

À L'AIDE !

AU SECOURS !

PARDON, MESDAMES ! LE DEVOIR M'APPELLE !

CE TUYAU TOMBE À PIC !

TENEZ BON ! VOTRE COURAGEUX MAÎTRE EST LÀ POUR VOUS SECOURIR !

SPLATCH !

5

VOUS NE RISQUEZ PLUS RIEN, MAIS VOUS DEVRIEZ SAVOIR QUE LE BAIN MOUSSANT EST INTERDIT DANS LE JACUZZI !

COMME SI ON NE LE SAVAIT PAS ! *ON DISCUTAIT* ET, SOUDAIN, L'EAU S'EST MISE À MOUSSER !

IIIIH ! ON M'A VOLÉ MA RIVIÈRE DE DIAMAAAANTS !

HUM ! LE TRIO DES *NOUVELLES* S'ENFUIT EN COURANT ! AURAIENT-ELLES UN RAPPORT AVEC LE VOL ?

ELLES FONCENT VERS L'ISSUE DE SECOURS QUI MÈNE AU PARKING !

HANGN ! LA PORTE EST BLOQUÉE DE L'EXTÉRIEUR ! JE DOIS ABSOLUMENT SORTIR ! MAIS SI JE PASSE PAR LA PORTE PRINCIPALE, JE PERDRAI DU TEMPS !

JE CONNAIS UN CHEMIN BEAUCOUP PLUS RAPIDE !

MAINTENANT, JE SAUTE SUR LE PLUS HAUT PLONGEOIR...

... ET JE REBONDIS POUR FRANCHIR...

... LE MUR ET ATTERRIR *DANS* MA VOITURE !

AH ! CES DRÔLES DE FEMMES ÉTAIENT LES *RAPETOU* ! JE NE L'AURAIS PAS DEVINÉ !

ROAR !

6

ILS SE DIRIGENT VERS LA RIVIÈRE ! POURQUOI NE FONT-ILS PAS DEMI-TOUR ? ILS NE PASSERONT PAS, LE PONT MOBILE SE RELÈVE !

CE... CE N'EST PAS VRAI ! ILS ESSAIENT QUAND MÊME ! SI JE N'ACCÉLÈRE PAS, JE VAIS LES PERDRE !

LES RAPETOU N'ONT PAS ASSEZ D'ÉLAN POUR FRANCHIR LE PONT, CONTRAIREMENT À DONALD !

VROAAAR !

AAAAH ! NOUS TOMBONS !

HOURRA ! J'AI RÉUSSI ! MAIS OÙ EST LA VOITURE DES RAPETOU ?

BLÔNG !

SUR UNE PÉNICHE ? ILS ONT TROP DE CHANCE !

MAIS SI CES BANDITS PENSENT POUVOIR M'ÉCHAPPER, ILS SE TROMPENT ! JE LES SUIVRAI, EN LONGEANT LA RIVIÈRE !

CEPENDANT, SUR LA PÉNICHE...

QUELQU'UN VIENT ! OCCUPEZ-VOUS DE LUI PENDANT QUE JE FILE JUSQU'À LA CABINE DE PILOTAGE !

IL Y A DES FAÇONS *PLUS SIMPLES* DE MONTER SUR UN BATEAU, MESDAMES !

CELLE-CI ÉTAIT TELLEMENT *PLUS AMUSANTE*, MON AMIRAL !

PLUS AMUSANTE, SI ON VEUT...MAIS *DANGEREUSE* !

JE VOIS ! UN *VIEUX LOUP DE MER* COMME VOUS SAIT DE QUOI IL PARLE !

CEPENDANT, DANS LA CABINE DE PILOTAGE...

FICHU DONALD ! IL NE RENONCE PAS FACILEMENT !

IL N'Y A QU'UNE SOLUTION : ACCOSTER SUR L'AUTRE RIVE. IL AURA DU MAL À NOUS RATTRAPER !

AUSSITÔT DIT...

MAIS ? *MA PÉNICHE !*

CRAASC !

MERCI POUR LA BALADE, AMIRAL !

DOMMAGE, NOUS SOMMES PRESSÉES !

SALUEZ LES POISSONS POUR NOUS !

ET ZUT ! LES RAPETOU S'ENFUIENT SUR L'AUTRE RIVE ! LE PONT LE PLUS PROCHE SE TROUVE À DES KILOMÈTRES D'ICI ! C'EST LA TUILE !

BAH ! POUR UN MAÎTRE NAGEUR, TRAVERSER LA RIVIÈRE À LA NAGE N'EST PAS UN PROBLÈME !

8

QUELLE CLASSE ! DOMMAGE QUE CES DAMES DU COUNTRY CLUB NE ME VOIENT PAS !

SPLITCH !

SPLOTCH !

REGARDEZ ! UN *CIRQUE* ! J'AIMERAIS BIEN ASSISTER AU SPECTACLE !

TU ES FOU ? AU CAS OÙ TU NE T'EN SERAIS PAS APERÇU, ON EST EN TRAIN DE S'*ENFUIR* !

ON A DÛ ABANDONNER LA VOITURE ET LA PÉNICHE ! IL FAUT TROUVER UN AUTRE MOYEN DE TRANSPORT EN VITESSE, AVANT QUE LES FLICS NE RAPPLIQUENT !

JE SAIS ! ON N'A QU'À UTILISER CE *BALLON* !

CE N'EST QU'UN EMPRUNT ! MERCI !

ON SE DÉBROUILLERA TOUT SEULS ! *MERCI* !

OH ! ILS ONT TROUVÉ LE MOYEN DE VOLER UN BALLON !

BOULET DE CANON HUMAIN

CE *CANON* ME DONNE UNE IDÉE ! ET JE NE VOIS PAS QUI M'EMPÊCHERA DE LA RÉALISER !

L'ORIENTATION EST *BONNE* ! JE N'AI QU'À ALLUMER LA MÈCHE...

...ET À ME GLISSER À L'INTÉRIEUR ! DESTINATION : *LE GRAND CIEL BLEU* !

9

BLAM !

ÇA MARCHE ! MES CALCULS ÉTAIENT BONS !

ENCORE CE *MAUDIT CANARD* ! IL NE NOUS LÂCHERA *PAS*, LES GARS !

N'ATTENDS PAS ! *COUPE* L'ÉCHELLE DE CORDE !

JE N'AI PAS DE COUTEAU !

ALORS, SECOUONS-LA ! IL TOMBERA !

OUPS ! SI JE TOMBE DE CETTE HAUTEUR, JE SUIS *CUIT* !

HUM... LE VENT NOUS POUSSE VERS LA PRISON DE DONALDVILLE !

93

ÇA ME DONNE UNE IDÉE ! JE LANCE L'ÉCHELLE DE CORDE COMME UN LASSO...

10

... EN VISANT LE *PARATONNERRE* DE LA PRISON !

ALORS LÀ, ON EST COINCÉS ! QUE VA-T-IL SE PASSER ?

S'IL N'Y AVAIT QUE ÇA ! ON EST *AU-DESSUS DE LA PRISON* DE DONALDVILLE !

JE MONTE LA FLAMME POUR RELANCER CE GROS SAC D'AIR CHAUD !

BONNE IDÉE ! SI ON RESTE ICI PLUS LONGTEMPS, LES GARDES NOUS REPÉRERONT !

RIEN À FAIRE ! ON NE BOUGE PAS ! ESSAIE DE MONTER LA FLAMME !

EUH... JE SUIS DÉJÀ AU *MAXIMUM* ! LE BALLON EST À DEUX DOIGTS D'EXPLO...

BLOUUUM !

DONALD S'AGRIPPE AU PARATONNERRE ET LES RAPETOU FINISSENT DANS LA PISCINE DE LA PRISON !

À L'AIDE ! ON N'A PAS ENCORE APPRIS À NAGER ! *AU SECOURS !*

SPLATCH !

QUE QUELQU'UN M'AIDE À DESCEEEENDRE !

AINSI...

CES PETITS MALINS NOUS AVAIENT FAIT *FAUX BOND* LA SEMAINE DERNIÈRE, MAIS NOUS LES AVONS RÉCUPÉRÉS, GRÂCE À VOUS !

ILS PORTENT DES MAILLOTS DE BAIN FÉMININS ET DES PERRUQUES ! IL Y EN A MÊME UN AVEC UNE *RIVIÈRE DE DIAMANTS* ! CES TENUES GROTESQUES NE TROMPENT *PERSONNE*, LES GARS !

EN ATTENDANT, MESSIEURS... LES RAPETOU SONT ENTRÉS SANS PROBLÈME AU COUNTRY CLUB ET ILS ONT PRESQUE RÉUSSI LEUR COUP ! LE PLAN ÉTAIT *INGÉNIEUX*, MAIS PAS PARFAIT ! MA CRITIQUE NE PORTE PAS SUR L'IDÉE DU DÉGUISEMENT, MAIS PLUTÔT...

...SUR L'*ABSENCE TOTALE DE GOÛT* DE CES MESSIEURS ! PERSONNELLEMENT, JE N'OSERAIS JAMAIS ME MONTRER DANS DES TENUES PAREILLES !

HA ! HA ! HA !

OH, ÇA VA !

APRÈS AVOIR EXPLIQUÉ LE VOL DU COLLIER, DONALD RETOURNE À LA PISCINE DU COUNTRY CLUB...

JE VAIS M'EMPRESSER DE RESTITUER CE COLLIER À SA PROPRIÉTAIRE !

MME VAN DUVAN SERA SI HEUREUSE DE LE RÉCUPÉRER QU'ELLE ME DONNERA PEUT-ÊTRE UNE *BELLE RÉCOMPENSE* ! HÉ, HÉ !

HELLO, MADAME VAN DUVAN ! REGARDEZ CE QUE JE VOUS APPORTE !

VOUS TOMBEZ BIEN ! CECI, POUR M'AVOIR ARROSÉE AVEC UN TUYAU !

PLAF !

MAIS MADAME... J'AI ARRACHÉ VOTRE *PRÉCIEUSE* RIVIÈRE DE DIAMANTS AU PÉRIL DE MA VIE ! JE...

AH, OUI... PARLONS-EN, DE CE COLLIER !

RÉFLÉCHISSEZ ! ME CROYEZ-VOUS ASSEZ STUPIDE POUR PORTER UNE RIVIÈRE DE DIAMANTS *AUTHENTIQUE* DANS UN LIEU *PUBLIC* ? C'ÉTAIT UNE *IMITATION* QUE JE PORTAIS POUR LA *GALERIE* ! ON PEUT ÊTRE RICHE SANS ÊTRE IDIOTE !

JE ME LE DEMANDE !

FIN

PROCHAIN NUMÉRO, DONALD EMBARQUE ET FAIT NAUFRAGE !
UNE HISTOIRE DE PIRATES DES FONDS DES MERS...

GRAND-MÈRE DONALD
VACANCES À LA FERME

MAIS APRÈS LE REPAS...

ET GENRE, MES *MONSTRES* DE PARENTS M'ONT ENVOYÉ À LA CAMPAGNE REGARDER L'HERBE POUSSER ! INSENSÉ, NON ?

ILS NE NOUS ÉCOUTENT *MÊME PAS* !

ILS SONT PEUT-ÊTRE *FATIGUÉS* DU VOYAGE !

MAIS DÈS DEMAIN MATIN, NOUS ALLONS FAIRE CE POUR QUOI LEURS PARENTS ONT PAYÉ : LEUR *APPRENDRE* LES TRAVAUX DE LA FERME !

NOUS ? C'EST *TOI* QUI SAIS COMMANDER, PAS MOI !

EH BIEN JE TE COMMANDE DE COMMANDER ! TU ES NOMMÉ MONITEUR DU CAMP ! TU N'AURAS QU'À LEUR ENSEIGNER CE QUE TU FAIS !

MALIN ! CE QUE JE SAIS FAIRE, JE PEUX L'ENSEIGNER !

LE LENDEMAIN À L'AUBE...

COCORICOOOO !

BONJOUR, LES CAMPEURS ! FAITES COMME LE SOLEIL : *LEVEZ-VOUS* ET *BRILLEZ !*

LEÇON N° 1 : À LA FERME, *PAS DE VACANCES !* LE COQ CHANTE MÊME SI VOUS ÊTES FATIGUÉS ! LES VACHES NE SE TRAIENT PAS TOUTES SEULES !

OOOHH !

LAISSEZ-LES DORMIR, CES PAUVRES VACHES ! DES CÉRÉALES *SANS LAIT,* ÇA ME VA TRÈS BIEN !

MAIS GRAND-MÈRE EST CONVAINCANTE...

TRAIRE UNE VACHE, C'EST *FACILE,* TANT QUE LA VACHE SENT QUE LA PERSONNE QUI LA TRAIT A *CONFIANCE* EN ELLE !

VOUS VOYEZ ? LE SEAU EST DÉJÀ À MOITIÉ PLEIN ! OU À MOITIÉ VIDE, SELON L'HU-MEUH-R !

BON, QUI VEUT ESSAYER EN PREMIER ?

HABILLÉ COMME ÇA ?

2

PENDANT CE TEMPS...

VROUMMMM...

L'UNE DES BONNES CHOSES QUAND ON A DES POULES, C'EST QU'ELLES FONT LE PLUS GROS DU TRAVAIL ! ON N'A QU'À *RÉCUPÉRER* LES ŒUFS ET...

ET QU'EST-CE QUE TU FAIS, AU LIEU DE M'ÉCOUTER ?

FRANCHEMENT, CETTE HISTOIRE D'ŒUFS N'EST PAS *AUSSI INTÉRESSANTE* QUE MON NOUVEAU JEU !

AH BON ? ET C'EST QUOI, CE JEU ?

LES AMIS DE LA FERME ! J'AI DÉJÀ DEUX POULAILLERS ET UNE MARE AUX CANARDS !

PEU APRÈS...

ÇA VOUS INTÉRESSERA PEUT-ÊTRE D'APPRENDRE À CONDUIRE UN TRACTEUR !

OH OUI ! VROUM, VROUM ! JE ME SUIS DÉJÀ BIEN ENTRAÎNÉ À CONDUIRE SUR MA CONSOLE À LA MAISON !

MON JEU PRÉFÉRÉ EST UN JEU DE CONDUITE ! J'AI MÊME UN TABLEAU DE CONTRÔLE SPÉCIAL AVEC UN VOLANT ET UN LEVIER DE VITESSES !

AH ? PEUT-ÊTRE QUE CES JEUX SERVENT À QUELQUE CHOSE, APRÈS TOUT ! BON, VAS-Y DOUCEMENT !

99

AAARGH ! QUEL JEU T'APPREND À CONDUIRE COMME ÇA ?

LA COURSE À LA MORT ! MAIS LÀ, ÇA NE VA PAS SI VITE !

PFFF ! CE N'ÉTAIT PAS CENSÉ ÊTRE PLUS FACILE AVEC DE L'AIDE ?

ET J'AI ENCORE CINQ GOSSES AFFAMÉS À NOURRIR !

4

PROCHAIN NUMÉRO, GRAND-MÈRE DONALD TROUVE DE L'AIDE !
GÉO TROUVETOU VA LUI CONCEVOIR UN ROBOT À TOUT FAIRE... RATER !!!

MISS TICK
MALÉFICE CONVENTIONNEL

AU FIN FOND DE SON REPAIRE, AU SOMMET DU VÉSUVE, UNE VIEILLE CONNAISSANCE EST PLONGÉE DANS L'ÉTUDE D'ANCIENS GRIMOIRES AUX SORTILÈGES OUBLIÉS...

J'AI EU DE LA *CHANCE* DE TROUVER CES VIEUX LIVRES D'ENCHANTEMENTS AUX ENCHÈRES SUR INTERNET !

CRÔAAA !

JE LES CHERCHE DANS LES LIBRAIRIES D'OCCASION DEPUIS *DES ANNÉES !*

D 2008-063

AH! *VOILÀ* QUI SEMBLE PROMETTEUR !

UNE *POTION* QUI EFFACE *LA MÉMOIRE !*

SI JE POUSSE LE VIEUX PICSOU À *M'OUBLIER,* VOLER SON SOU FÉTICHE N'EN SERA QUE PLUS FACILE !

CRIII-CRÔAAA !

MISS TICK FOUILLE SES ÉTAGÈRES POUR RASSEMBLER LES INGRÉDIENTS NÉCESSAIRES...

ROTULES DE SERPENTS... O.K.!

LOBES D'OREILLES DE PAPILLON... OK !

LE LAIT D'UNE PIERRE... OK !

AÏE ! LES LARMES DE PACHYDERME D'UN RHINOCÉROS PYGMÉE BIRMAN ?

C'EST *DUR* À TROUVER, ÇA !

ÇA SE RÉVÈLE MÊME IMPOSSIBLE À TROUVER...

TOI NON PLUS TU N'EN AS PAS, MORBIDA ?

JE DEVRAI ALLER EN BIRMANIE *MOI-MÊME* POUR M'EN PROCURER !

MAIS VOILÀ QU'UNE PISTE SURGIT...

JE SUIS *SÛRE* QUE LE SORCIER DE LA RUE DES ARCANES A CE QUE TU CHERCHES !

AH, *MERCI,* FERMENTIA ! JE TE REVAUDRAI ÇA !

1

AH, VOILÀ SA *BOUTIQUE DE MAGIE* !

HMM ! LES *SORCIERS* ! ILS ME DONNENT LA *CHAIR DE POULE* !

ENFIN, JE SUPPOSE QUE JE N'AI PAS *LE CHOIX*, DE TOUTES FAÇONS !

BONJOUR !

EN QUOI PUIS-JE VOUS AIDER, MORTELLE ?

YIII ! JE CHERCHE UN CERTAIN... TIMMY ?

C'EST *MOI* ! BIENVENUE DANS MON *ANTRE DE L'EFFROI* !

C'EST VOUS, MISS TICK ? *FERMENTIA* M'A PRÉVENU QUE VOUS PASSERIEZ !

??

RAVI DE VOUS *RENCONTRER* !

ET SI VOUS ME PERMETTEZ... VOUS ÊTES *TROP CHARMANTE* !

BEURK !

FERMENTIA M'A DIT QUE JE POURRAIS TROUVER DES LARMES DE RHINO PYGMÉE, ICI !

J'EN AI UN BESOIN *URGENT*. C'EST COMBIEN ?

ALLONS ! VOUS N'AUREZ PAS BESOIN DE VOTRE ARGENT, ICI !

MA FOI, C'EST TRÈS *GÉNÉREUX* DE VOTRE...

MAIS VOUS DEVREZ *SORTIR* AVEC MOI !

PARDON ?

J'AI BESOIN D'UNE *CHARMANTE COÉQUIPIÈRE* POUR LA *CONVENTION DES SORCIERS* DE CE WEEK-END !

JE VOUDRAIS AVOIR L'AIR D'UN *GARS COOL* !

ÉVIDEMMENT, VOUS POUVEZ AUSSI CHASSER LE RHINOCÉROS PYGMÉE ET LE FAIRE PLEURER *VOUS-MÊME* !

GRRR ! IL ME *TIENT* !

TRÈS BIEN, *TIMMY*... MAIS *UNE* FOIS !

TOUT LE WEEK-END, MISS TICK SUBIT CETTE BIZARRERIE SOCIALE QU'EST LA CONVENTION DES SORCIERS...

MORTS VIVANTS | MERLIN | CARTES MAGIQUES

NOUVEAUX FAMILIERS DE COMPAGNIE

Z

FLASH!

FINALEMENT, CETTE BIEN LONGUE JOURNÉE S'ACHÈVE...

ET VOILÀ, MA CHÈRE, COMME *PROMIS*!

ENFIN! JE VAIS POUVOIR CRÉER MA *BOMBE À PFOUFF* D'AMNÉSIE!

SI VOUS VOULEZ VOIR LES PHOTOS DE NOUS DEUX, ELLES SERONT DANS MA *LETTRE D'INFOS* DU MOIS PROCHAIN, ET SUR MON *BLOG*!

EURK!

AÏE! TOUS MES *AMIS* VONT SAVOIR QUE J'AI ÉTÉ À CETTE CONVENTION!

TIMMY, VOUS RETOURNEZ BIEN À LA CONVENTION *DEMAIN*, HMM? J'AIMERAIS VENIR AVEC VOUS!

ET COMMENT, BEAUTÉ! VOUS ÊTES *TROP CHARMANTE*!

POUAH!

LE LENDEMAIN, À LA CONVENTION...

PFOUFF!

CENTRE DES EXPOSITIONS

3

FINALEMENT, DE RETOUR SUR LE VÉSUVE...

HÉ! J'AI EU DE LA *CHANCE* DE TROUVER CES VIEUX LIVRES D'ENCHANTEMENTS AUX ENCHÈRES SUR INTERNET!

CRÔAAA?

FIN

103

DANS LE PROCHAIN NUMÉRO, MISS TICK PART EN VACANCES...
ET DES PIRATES DÉBOULENT À LA PLAGE POUR POURRIR CELLES DE DONALD!

PICSOU
EN ROUTE POUR RIO !!!

J'AI ENTRE LES MAINS UN RAPPORT D'*AUDIT* SUR L'*OPTIMISATION* DE VOTRE TEMPS DE TRAVAIL...

...ET J'EN ARRIVE À LA CONCLUSION SUIVANTE...

D 2008-029

...VOUS N'ÊTES *PAS EN BONNE SANTÉ*, ET ÇA ME *COÛTE DE L'ARGENT* !

NOUS, MALADES ?

C'EST LA MEILLEURE !

VOUS ALLEZ SUIVRE UN RÉGIME *STRICT* DE REMISE EN FORME !

QUAND VOS KILOS DIMINUERONT, MES PROFITS AUGMENTERONT !

1

!

?

© DISNEY · Scénario : Paul Halas · Dessins : Marco Rota

QU'ALLONS-NOUS FAIRE ?

COMBATTRE CETTE CALAMITÉ ! MAIS COMMENT ?

NE RIEZ PAS... MAIS J'AI UNE *IDÉE* !

AH ?

PICSOU DOIT MONTRER L'EXEMPLE ! NOUS ACCEPTERONS DE SUIVRE SON RÉGIME S'IL PARTICIPE AU *MARATHON DE DONALD-VILLE* !

À SON ÂGE ? UN MARATHON ? JAMAIS IL N'ACCEPTERA !

DONALD EST UN GÉNIE !

MAIS...

C'EST D'ACCORD, JE M'INSCRIS À LA COURSE ! UN CAPITAINE D'INDUSTRIE DOIT *MONTRER L'EXEMPLE* !

ILS ME METTENT AU DÉFI ! POURQUOI PAS, SI ÇA RAPPORTE ?

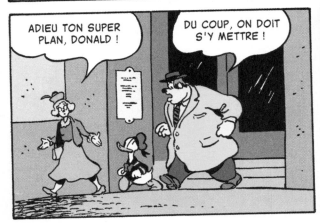

ADIEU TON SUPER PLAN, DONALD !

DU COUP, ON DOIT S'Y METTRE !

BAH ! IL N'IRA *JAMAIS* JUSQU'AU BOUT !

AINSI...

ÇA NE DEVRAIT PAS ÊTRE DUR. JE TENAIS UNE FORME OLYMPIQUE QUAND JE PROSPECTAIS !

CELA DIT, C'ÉTAIT IL Y A SOIXANTE ANS !

FINALEMENT... PFIOUUU... JE... JE SUIS AU BOUT... DU ROULEAU !

PARDON, JEUNE HOMME... FOUFOU ET MOI VOUDRIONS PASSER !

IL DOIT Y AVOIR UN MOYEN SIMPLE D'Y ARRIVER !

MAIS OUI ! BIEN SÛR !

EN PLUS, CE SERA GRATUIT... POUR MOI !

REMISE EN FORME B. PICSOU

PAR ICI, MONSIEUR !

UN EMPLOYÉ EN FORME... C'EST SI RARE !

AVANT DE VOUS VOIR COURIR, JE VEUX VOUS VOIR... EUH... PÉDALER !

3

TOUT ÇA, C'EST TRÈS BIEN, MAIS FRANCHEMENT, JE ME SENS *RIDICULE* !

ILS DOIVENT TOUS S'IMAGINER QUE JE VEUX JOUER AU JEUNOT !

MAIS JE NE POSSÈDE PAS QUE LES SALLES !

"C'EST ÉGALEMENT MOI QUI PRODUIS LE MATÉRIEL..."

DORÉNAVANT, JE ME MUSCLERAI EN PRIVÉ, DANS MON BUREAU !

IL S'ENTRAÎNE !

TROUVONS UNE AUTRE IDÉE GÉNIALE ! VITE !

BALTHAZAR PICSOU

DRING!

UNE INVITATION AU *CONGRÈS DES MILLIARDAIRES* À RIO DE COUAKERO ?

ON PASSE SON TEMPS À SE GOINFRER DANS CES BANQUETS...

...ET JE N'AURAI PAS DE RÉCOMPENSE, CETTE ANNÉE, DONC...

BON, J'APPELLE QUELQU'UN QUI A UNE DETTE ENVERS MOI. ON DORMIRA BIENTÔT SUR NOS DEUX OREILLES !

BIENTÔT...

QUOI ENCORE ?

DRING!

AH, BON ! J'AURAI UNE RÉCOMPENSE ? LE *DOLLAR D'OR* ? *J'ARRIVE*, CHER AMI !

JE RENDS UN *GRAND* SERVICE AU SEÑOR DONALDO...

MAIS J'AI UNE DETTE ENVERS LUI, POUR M'AVOIR FAIT *SORTIR DE PRISON* APRÈS CETTE AFFAIRE QUI DOIT RESTER SECRÈTE !

QUELQUES HEURES PLUS TARD...

NOUS SOMMES AU REGRET DE VOUS ANNONCER QUE LES CONDITIONS CLIMATIQUES DÉFAVORABLES NOUS OBLIGENT À *ATTERRIR* À PUERTO SORDIDO !

PFF ! QUELLE *GUIGNE* !

DÉSOLÉ, SEÑOR PICSOU. QUAND LE TEMPS SE DÉGRADE AINSI, TOUT VOL EST *INTERDIT* PENDANT *UNE SEMAINE* !

ALORS JE M'Y RENDRAI PAR VOIE *TERRESTRE*...

"...OU PLUTÔT PAR VOIE FLUVIALE !"

IL FAUT DESCENDRE LA RIVIÈRE BADAZONE SUR MILLE KILOMÈTRES !

MAIS...

CRAAAC!

NOUS DEVONS ACCOSTER À *SAO SIESTO* POUR RÉPARER !

NE VOUS EN FAITES PAS, SEÑOR PICSOU, ON AURA LES PIÈCES DE RECHANGE AVANT LA FIN DE LA SEMAINE !

JE ME DÉBROUILLERAI SEUL !

RIEN NE M'EMPÊCHERA DE RECEVOIR UNE RÉCOMPENSE MÉRITÉE !

RIEN, SAUF LA CHALEUR, LES CRAMPES ET L'ÉPUISE-MENT !

6

EN ROUTE, BALTHAZAR !

JE NE TIENDRAI PAS LONGTEMPS À CE RYTHME... POUF !

GRAOUUU!

J'IGNORE CE QUE C'ÉTAIT, ET MIEUX VAUT *NE PAS LE SAVOIR* !

ZOUM!

J'AI DÛ LE SEMER... *POUF...* QUEL CAUCHEMAR !

STOP ! *JE NE BOUGE PLUS !* QUOI QU'IL ARRIVE ! PFF ! TREMBLEMENT DE TERRE, SERPENTS VENI-MEUX, COUPEURS DE TÊTE...

ZOU!

VOUSCH!

BOMP!

8

FAÇON DE PARLER...

PROCHAIN NUMÉRO, PICSOU N'A PAS FINI DE COURIR !
CAR IL DOIT S'OCCUPER DE RIRI, FIFI & LOULOU À LA PLACE DE DONALD...

LES RAPETOU
CHASSEURS DE TROPHÉES

UN MATCH HISTORIQUE TOUCHE À SA FIN...

HOURRA !

DONALDVILLE A GAGNÉ LA *COUPE* INTERCONTINENTALE !

D 2007-139

22 ADULTES QUI SHOOTENT DANS UNE BOULE DE CUIR... JE TROUVE ÇA FRANCHEMENT *INFANTILE* !

VIENS VOIR LA REMISE DE LA COUPE, AU MOINS !

... ET ROLAND NOIR, LE CAPITAINE, VA RECEVOIR LE TROPHÉE...

WOÂHOUH ! PAS MAL !

DITES DONC... ÇA DOIT VALOIR UNE *FORTUNE* !

NORMAL, C'EST DE L'OR MASSIF !

EH ! REGARDEZ !

DONNE-LE-MOI ! IL EST *À MOI*, JE TE DIS !

CALMEZ-VOUS, MONSIEUR !

C'EST *MOI* QUI DEVRAIS GAGNER LE TROPHÉE, PAS VOUS, ESPÈCE DE BABOUIN !

QUI ÉTAIT-CE ?

MAX DIKTAT, LE *PIRE* DIRECTEUR DU CLUB DE DONALDVILLE...

QUAND IL ÉTAIT LÀ, DONALDVILLE PERDAIT TOUS SES MATCHS !

IL ÉTAIT INSUPPORTABLE ! AUCUN JOUEUR NE POUVAIT LE SENTIR...

... MAIS APRÈS SON RENVOI, L'ÉQUIPE A PEU À PEU REMONTÉ LA PENTE, JUSQU'À SON *TRIOMPHE D'AUJOURD'HUI* !

J'AI IDÉE QUE LE MATCH DE CE SOIR L'A COMPLÈTEMENT *DÉTRAQUÉ*, LE PAUVRE !

117

OUPS !

OUÊÊÊ !
OUÊÊÊ !

LE QUARTIER GROUILLE DE POLICIERS, ON NE SORTIRA PAS AVEC ÇA !

PAS DE SOUCI, *HARRY LE RECELEUR* NOUS EN DONNERA UN BON PRIX !

IL PAIERA UN *MAX* POUR CE GENRE DE TRÉSOR !

JE PROPOSE QU'ON Y AILLE *INCOGNITO !*

COSTUMES DE THÉÂTRE

OUI, IL RISQUE DE NE PAS COMPRENDRE QUE VOLER, C'EST NOTRE *BOULOT !*

C'EST ICI, LES GARS...

HELLO ?

ENTREZ !

TOC !
TOC !

OUI ? QUE PUIS-JE POUR VOUS, MESSIEURS ?

5

QUE DIRAIS-TU SI ON T'APPORTAIT LA *COUPE DE L'INTERCONTINENTALE* ?

C'EST *VOUS* QUI AVEZ FAUCHÉ LE TROPHÉE DE DONALDVILLE ?

TU PIGES VITE, HARRY !

EN CE CAS, JE DIRAI À ROCK ET BILLY DE VOUS DONNER UNE *BONNE RACLÉE* !

SBONG !

PLOF !

OUILLE !

HARRY AURAIT-IL PERDU SON SENS DE L'HUMOUR ?

QU'ALLONS-NOUS FAIRE ?

ET SI ON FAISAIT *FONDRE* LE TROPHÉE ?

OUI, APPORTONS-LE À *SAM LAFORGE* !

IL AVAIT FONDU LES JOYAUX DE LA COURONNE DU BOTHUAN !

MAIS...

OUI ? C'EST POUR *QUOI* ?

DÉSOLÉ ! *ERREUR* D'ADRESSE !

HEIN ?

RENTRONS SI ON NE VEUT PAS FINIR À L'HÔPITAL !

CONCLUSION... FAISONS *NOUS-MÊMES* FONDRE LE TROPHÉE !

COMMENT ? ON N'Y CONNAÎT RIEN DU TOUT !

FAIS-MOI CONFIANCE ! ON TROUVE TOUT SUR INTERNET, TU SAIS !

ET *VOILÀ* !

IL FAUT DES BRIQUES, DES TUILES THERMIQUES, BEAUCOUP DE CARBURANT...

... ET, ENFIN ET SURTOUT, UN CREUSET !

C'ÉTAIT UN GROS BOULOT, MAIS C'EST FAIT !

BIENTÔT...

TU CROIS QUE C'EST ASSEZ CHAUD ?

OUI ! ÇA DOIT SUFFIRE !

JE SENS QUE ÇA VA MARCHER !

POUR MOI, IL FAUT CHAUFFER PLUS !

O-OUPS !?

OH, NON ! LES RIDEAUX ONT PRIS FEU !

ET MAINTENANT, LE CANAPÉ ! ET LE TAPIS !

ABANDONNONS LE NAVIRE !

À L'AIDE !

CETTE PLANQUE... C'ÉTAIT *COMME* UNE *MAISON*, POUR NOUS !

C'ÉTAIT NOTRE MAISON, BANANE !

LA PLUIE ! MANQUAIT PLUS QUE ÇA !

ELLE VIENT *TROP TARD* POUR ÉTEINDRE L'INCENDIE !

HISSS !

DÉBARRASSONS-NOUS DE ÇA... IL NE NOUS A APPORTÉ QUE DES *ENNUIS* !

ATTENTION !

SCRRRIIII !

BANDE D'ABRUTIS ! VOUS AVEZ FAILLI...

PROCHAIN NUMÉRO, LES RAPETOU VONT REFAIRE LE MATCH...
SAUF QUE LA COUPE DU MONDE DE FOOTBALL SERA BIEN TERMINÉE !

DONALD
PAPARAZZI OU TIFOSI ?

SUN STAR

LOULOU GRANT
DIRECTEUR

DEPUIS SA VICTOIRE CONTRE LE MYTHIQUE *Real Tartelona*, Donaldville ENCENSE **PATRICK DOOLEY**, JEUNE PRODIGE DU FOOT QUI A MARQUÉ À LA DERNIÈRE MINUTE !

D 2002-217

JE VEUX UN *SUPER PAPARAZZI* POUR SUIVRE DOOLEY ! IL NE DOIT *PAS* LE LÂCHER D'UNE SEMELLE !

JE M'EN SUIS OCCUPÉE !

CLIC !

J'AI PRIS LA LIBERTÉ D'APPELER LE *MEILLEUR*, LE PLUS *OPINIÂTRE*, LE PLUS *INDISCRET* DES PAPARAZZI DE LA VILLE...

"... L'INFÂME DONALD DUCK !"

RAVI DE VOUS RENCONTRER, GRANT !

"LEUR VIE PRIVÉE FAIT PARTIE DE LA MIENNE !", C'EST MA DEVISE !

QUEL HONNEUR DE TRAVAILLER AVEC QUELQU'UN QUI A ENCORE *MOINS* DE SCRUPULES QUE MOI !

1

QUI DOIS-JE HARCELER ?

LE BRILLANT ÉTUDIANT QUI JOUE AU FC DE DONALDVILLE !

DOOLEY EST NOTRE CHOUCHOU DU MOIS ! LE FC DE DONALDVILLE VA TOUT FAIRE POUR L'ISOLER DU MONDE EXTÉRIEUR !

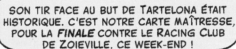

SON TIR FACE AU BUT DE TARTELONA ÉTAIT HISTORIQUE. C'EST NOTRE CARTE MAÎTRESSE, POUR LA *FINALE* CONTRE LE RACING CLUB DE ZOIEVILLE, CE WEEK-END !

ÇA IRA POUR LES ÉLOGES ! COMME JE VAIS BIEN *PAYER*, J'ATTENDS UN TAS DE PHOTOS DU GENRE INÉDIT, OK ?

VOUS LES AUREZ !

CES CLICHÉS SERONT SUR VOTRE BUREAU *DEMAIN MATIN*, GRANT !

LE JEUNE DOOLEY, HEIN ! ÇA ME CHANGERA DES STARLETTES DE SÉRIES Z ET DES POLITICIENS DE TROISIÈME ZONE !

AU STADE DE DONALDVILLE...

TU TOMBES À PIC, DONALD ! LE MANAGER S'APPRÊTE À FAIRE UNE DÉCLARATION !

UN GRAND *AVENIR* ATTEND DOOLEY. MAIS COMME IL SORT À PEINE DE L'ÉCOLE, JE VOUS DEMANDERAI DE LE LAISSER EN PAIX, AFIN QU'IL PUISSE ÉVOLUER EN TOUTE *SÉRÉNITÉ* !

BIEN SÛR, MONSIEUR !

C'EST NORMAL !

S'IL *CROIT* QUE DOOLEY VA ME GLISSER ENTRE LES DOIGTS, IL RÊVE !

OH ! J'AI VU UN *POISSON* QUI TENTE D'ÉCHAPPER AU FILET !

MONTE VITE, PATRICK !

JE L'AI CADRÉ. *PARFAIT* !

POW !

TCHUNF !

DONALD ? JE TE DÉPOSE *OÙ* ?

TAXI !

3

BIIIP ! BIIIP !

JE NE SAIS PAS. TU N'AS QU'À SUIVRE CES *BIPS* !

PEU APRÈS !

MERCI, DONALD !

LE *BAR DES CINQ AS* ! DOOLEY N'EST PAS RENTRÉ CHEZ LUI !

PAS D'ATTAQUE FRONTALE ! IL Y A FORCÉMENT UNE *ENTRÉE SECONDAIRE* QUELQUE PART !

VOILÀ, CHAMPION !

JE N'AVAIS *JAMAIS* VU UN ÉCRAN AUSSI *GRAND* !

C'EST POUR TOI, PATRICK ! UN RÉGAL HAUTEMENT *CALORIQUE*, À BASE DE FRITES ET DE GLACE TRIPLE CRÈME !

MIAM !

EST-CE QUE JE PEUX MANGER ÇA ?

SÛR ! SI TU TRAVAILLES SANS T'AMUSER, TU NE FERAS PAS LONG FEU !

127

EXCUSE-MOI, PATRICK ! JE TÉLÉPHONE À MA GRAND-MÈRE MALADE !

4

ARGH !

DRING ! DRING !

ICI, DONALD !
PATRICK EST
AUX CINQ AS !
OUI ! J'AI
PRESQUE FINI !

CES "SURVEILLANTS" ONT GAVÉ
LE JEUNE DOOLEY COMME
UNE *DINDE DE NOËL FARCIE* !

DIS DONC ! OCCUPE-TOI
DE *TON* SCOOP, AVANT QUE
TES CONCURRENTS NE RAPPLIQUENT !

VAS-Y ! TU SAIS
QUE C'EST BON !

PATRICK
SURPRIS EN
PLEIN DÉLIRE
CALORIQUE !
LE MANAGER,
FURIEUX, LUI
COLLE UN BLÂME !

TU SAIS BIEN QUE *SANS*
DOOLEY, DONALDVILLE
N'A *AUCUNE* CHANCE !

PENSE À
TON SCOOP !

IL DOIT D'ABORD
PENSER À *SON* ÉQUIPE !

AAARGH ! JE NE VEUX PAS
QUE DONALDVILLE *PERDE* !

5

BUUUT,
MAUVAISE GRAINE !

BLOMP !

OUILLE !

MES CONCURRENTS NE VONT PLUS TARDER ! J'AI INTÉRÊT À FAIRE *VITE* !

TCHAC !

JETONS UN *VOILE PUDIQUE* SUR CETTE SCÈNE !

FUSIBLES

SUIS-MOI ! IL FAUT *SORTIR* D'ICI !

NON MAIS ÇA NE VA PAS ?!

CLAC !

ERREUR DE SILHOUETTE !

C'EST TOI, PATRICK ?

OUI. QU'Y A-T-IL ?

BIENTÔT, TOUT LE MONDE VA RAPPLIQUER ! TU AS INTÉRÊT À *DISPARAÎTRE* !

129

OÙ EST NOTRE *SCOOP* ?

TIENS ? DONALD ! MAIS AVEC *QUI* ?

DÉPÊCHE-TOI !

7

CE NE SONT PAS LES GARS CHARGÉS DE ME SURVEILLER ! D'OÙ VIENNENT-ILS ?

ON VA LE SAVOIR...

DES SUPPORTERS DU RACING CLUB DE *ZOIEVILLE* ! CELA T'ÉTONNE ?

TU ES PHOTOGRAPHE DE PRESSE, ALORS POURQUOI M'AIDES-TU ?

PARCE QUE JE SUIS *D'ABORD* UN SUPPORTER DU FC DE DONALDVILLE !

JE TE DOIS UNE FAVEUR ! JE T'OFFRE L'*EXCLUSIVITÉ* DE MES PHOTOS !

ET LE LENDEMAIN...

DONC, LE P'TIT GARS REGARDE LES REPORTAGES SUR LA NATURE ET IL BOIT UN LAIT CHAUD AVANT DE DORMIR... OUAIS, C'EST *SAIN* ! C'EST PORTEUR !

SI TU VEUX, J'AI UN *GROS REPORTAGE* À TE CONFIER POUR DEMAIN !

DÉSOLÉ ! POUR LA FINALE DE DEMAIN, J'AI EU UNE INVITATION *GRATUITE*, DANS LES *TRIBUNES* ! ON VERRA ÇA UNE AUTRE FOIS !

FIN

QUE VA FAIRE DONALD POUR SE RENDRE INTÉRESSANT ?
IL VA ÊTRE OBLIGÉ DE DIRE LA VÉRITÉ, RIEN QUE LA VÉRITÉ ! PAS SI SIMPLE...

DONALD
CLASH AU CASH !

FINALEMENT, TU AS RÉUSSI À AVOIR UN BILLET ?

VIVE LE FCD ! VIVE LE FANATIC CLUB DE DONALDVILLE !

LES SUPPORTERS DU FCD (FANATIC CLUB DE DONALDVILLE) IRAIENT AU BOUT DU MONDE POUR SOUTENIR LEUR ÉQUIPE...

OUI ! JE DOIS LE RETIRER À LA PORTE D'ENTRÉE !

TOUS AVEC LE FANATIC CLUB !

SUPPORTERS DU FANATIC CLUB DONALDVILLE

LES ALLUMÉS DE RANCHCITY CONTRE LE FANATIC CLUB DE DONALDVILLE, AU STADE PRIMALL

COMPLET !

D 2003-089

OH, NON ! JE N'AI PLUS D'ARGENT SUR MOI !

QUAND J'AI RÉSERVÉ MON BILLET, ON M'A DEMANDÉ DE PAYER EN LIQUIDE À CAUSE D'UN PROBLÈME D'INFORMATIQUE !

OÙ VAS-TU ? TU VAS RATER LE COUP D'ENVOI !

NOUS NE SOMMES PAS LOIN DU STADE ! JE VOUS RATTRAPERAI !

ALLEZ, LES FANATIC ! ALLEEEEEZ !

J'AI REPÉRÉ UN DISTRIBUTEUR AUTOMATIQUE AU COIN !

LES ALLUMÉS DE RANCHCITY

ARGH !

DISTRIBUTEUR

HORS SERVICE

OUF ! UN SEUL CLIENT ! J'AI DE LA *CHANCE* !

MON MARI DIT TOUJOURS DE NE PAS SE FIER AUX ÉTRANGERS, POUR COMPTER SON ARGENT !

CINQUANTE-QUATRE, CINQUANTE-CINQ, CINQUANTE-SIX...

BONNE MÈRE !

OÙ EN ÉTAIS-JE ? CINQUANTE-TROIS ?

CLINK !

SI ELLE RECOMMENCE À ZÉRO, JE VERRAI MON PROCHAIN MATCH DANS *SIX MOIS* !

TENEZ, MADAME ! VOUS EN ÉTIEZ À *CINQUANTE-SIX*, JE CROIS !

MERCI, JEUNE HOMME !

EH ! QU'EST-CE QUE VOUS FAITES LÀ, VOUS ?

QUELLE QUESTION IDIOTE !

J'ÉTAIS LÀ AVANT VOUS ! J'ÉTAIS *DERRIÈRE CETTE DAME* !

BIZARRE, JE N'AI RIEN VU !

3

QUE SE PASSE-T-IL, *ICI* ?

J'ÉTAIS *LÀ* AVANT *LUI* ! DEMANDEZ À CETTE DAME OU À LA CAISSIÈRE ET VOUS VERREZ !

HEIN ?

BONNE MÈRE ! À COMBIEN EN ÉTAIS-JE ? CINQUANTE-TROIS ?

JE VAIS DEVOIR TOUT RECOMPTER !

JE SUIS LE GARDIEN DE JOUR ET JE NE LAISSERAI PERSONNE *SEMER LA PAGAILLE* !

D'ACCORD, J'AI COMPRIS ! J'AI *COMPRIS* !

TSSK ! SI JE COMMENCE À DISCUTER AVEC CE *PRIMATE*, JE SUIS ENCORE LÀ DEMAIN !

ILS SE SONT TOUS DONNÉ LE MOT ! CE N'EST PAS ÇA QUI VA ARRANGER MES AFFAIRES !

MAINS EN L'AIR ! C'EST UN HOLD-UP !

ROGER ! TU M'AS FAIT PEUR !

SI TU ÉTAIS UN *VRAI* BANDIT, TU SERAIS *DÉJÀ* EN PRISON ! JE VAIS TE MONTRER LE SYSTÈME QUE J'AI INSTALLÉ !

JE PASSAIS DANS LE COIN ! JE T'AI BIEN EU, AVOUE !

4

À LA MINUTE OÙ UN BANDIT ENTRE, J'APPUIE *LÀ*. DES GRILLES DESCENDENT ET CONDAMNENT PORTES ET FENÊTRES !

LE VOLEUR SE RETROUVE *PIÉGÉ* ET JE SUIS LE *SEUL* QUI CONNAÎT LA COMBINAISON PERMETTANT DE LE LIBÉRER !

ILS ONT UNE DE CES VEINES DE M'AVOIR ! AVEC MOI AUX COMMANDES, L'ÉPOQUE DES HOLD-UP EST RÉVOLUE !

QUOI ? C'ÉTAIT POUR RIRE !

VOUS JOUEZ À QUOI ?

MÉFIEZ-VOUS DE CE *RESQUILLEUR* !

INTERVENEZ ! VOUS AVEZ *FORCÉMENT* VU QUE CES GENS ÉTAIENT ENTRÉS *APRÈS* MOI !

HEIN ?

EUH... J'EN SUIS À COMBIEN ? CINQUANTE-DEUX ?

JE SUIS À *DEUX DOIGTS* DE VOUS METTRE DEHORS !

VOUS AVIEZ *QUITTÉ LA QUEUE* ! ET PUIS, QUE FAISIEZ-VOUS SOUS CE BUREAU ?

MAIS...

SAINTE PATIENCE ! JUSTE QUATRE CLIENTS ! COMBIEN DE TEMPS LUI FAUT-IL POUR SERVIR *QUATRE* CLIENTS ?

BONNE MÈRE ! À COMBIEN J'EN SUIS ?

PLING ! PLING !

5

137

139

CLAC ! CLAC !

ILS SONT TOUS LES DEUX KO ! C'EST DÉJÀ ÇA !

PAS QUESTION QUE JE RATE LE MATCH, APRÈS AVOIR SUPPORTÉ TOUT ÇA !

FLÛTE ! ILS N'ONT QUE VINGT DOLLARS !

LA POLICE NE TARDERA PAS. MAIS SI JE L'ATTENDS, JE RATE LE MATCH !

JE REMBOURSERAI CES IMBÉCILES DEMAIN ! LA POLICE ME DIRA OÙ LES TROUVER !

OUÊOUÊÊÊOUÊOUÊÊEOUÊ ÊÊOUÊ OUÊÊÊ

UN CAR EST COINCÉ DANS LES EMBOUTEILLAGES.

TUUT !

SAVEZ-VOUS POURQUOI LA RUE EST BLOQUÉE ?

IL Y A SÛREMENT EU UN ACCIDENT !

TUUT !

TOUUT !

ÉQUIPE DU FANATIC CLUB DE DONALDVILLE

TOOUT !

BIIIP !

TÔÔÔT !

BIIIP !

QUELQU'UN A FAIT TOMBER LE POTEAU TÉLÉPHONIQUE EN TRAVERS DE LA RUE ! LA CIRCULATION EST COMPLÈTEMENT BLOQUÉE !

ON DOIT JOUER UN MATCH TRÈS IMPORTANT ! OÙ SE TROUVE LE STADE ?

COUREZ JUSQU'À LA RUE DES CHASSEURS ! IL Y A UNE STATION DE TAXIS !

MAIS IL FAUT DU LIQUIDE, POUR LE TAXI !

COUPEZ PAR LA RUELLE QUI SE TROUVE EN FACE DE VOUS !

DÉPÊCHONS-NOUS !

TUUT !

BIIIP !

AH ! ON A DE LA VEINE ! C'EST UNE BANQUE !

AGHAGHA-GAAAH ! GLIP ! AR-RHEUUU !

ÇA NE VA PAS, JEUNE HOMME ?

JE VOIS QUE VOUS **ÊTES TRÈS OCCUPÉE**, MADEMOISELLE, MAIS NOUS SOMMES UN PEU PRESSÉS ET...

?

LIS UN PEU ÇA !

QU'EST-CE QUE ÇA DIT ?

"HAUT LES MAINS, CECI EST UN HOLD-UP !"

GUILINGUILINGUILINGUILINGUILINGUILIN

AAAH ! P-PAS DE P-PANIQUE !

AU STADE...

REDITES-MOI LE NOM, MONSIEUR ?

DUCK ! DONALD DUCK !

ENTRÉE

VOUS ME RAPPELEZ UNE EMPLOYÉE DE BANQUE !

TU EN AS MIS DU TEMPS ! ET TU AS L'AIR EXTÉNUÉ !

NE M'EN PARLE PAS !

J'AI CRU QUE JE N'ARRIVERAIS PAS À TEMPS !

10

POUR LA PRE-MIÈRE FOIS, LE FANATIC CLUB A DES CHANCES D'AL-LER EN FINALE !

LES JOUEURS VEDETTES DES ALLUMÉS SONT ABSENTS. ET *LES NÔTRES* JOUENT MIEUX QUE JAMAIS !

LA JOIE ME TIRE DES LARMES !

BIZARRE ! LE MATCH N'A TOUJOURS PAS COMMENCÉ !

UNE *INFORMA-TION* VIENT DE S'INSCRIRE SUR L'ÉCRAN GÉANT !

L'ÉQUIPE DU FANATIC CLUB DE DONALDVILLE EST ACTUEL-LEMENT RETENUE DANS UNE BANQUE DE RANCHCITY...

... LA POLICE ENQUÊTE SUR LES ÉTRANGES ÉVÉNEMENTS QUI ONT ABOUTI À CETTE SITUATION POUR LE MOINS INATTENDUE...

ON CROIT SAVOIR QUE LE GARDIEN DE LA BANQUE A ÉTÉ BLESSÉ. LA POLICE L'INTER-ROGE. IL POURRAIT S'AGIR D'UN HOLD-UP...

DONNEZ-MOI LE CODE !

TARATATA ! JE N'AI PAS CONFIANCE !

CETTE PHOTO D'UN INDIVIDU, QUI S'EST ENFUI AVEC LES VOLEURS PRÉSUMÉS, A ÉTÉ PRISE PAR UN REPORTER QUI PASSAIT...

... SELON LA CAISSIÈRE DE LA BANQUE, S'IL N'ÉTAIT PAS ENTRÉ, RIEN DE TOUT ÇA NE SERAIT ARRIVÉ.

À L'IN-TÉRIEUR DE LA BANQUE...

ON DIRAIT NOS SUPPORTERS, LÀ-BAS !

OUI ! JE RECONNAIS LE PETIT QUI COURT DER-RIÈRE ! IL EST RAPIDE !

VOUS N'ALLEZ PAS ME LAISSER LÀ ? COMMENT *VAIS-JE RENTRER* ?

VA CHERCHER DU LIQUIDE ET PRENDS UN CAR NORMAL !

VIVE LE FANATIC CLUB !

SUPPORTERS DU FANATIC CLUB DE DONALDVILLE

11.

FIN

 PROCHAIN NUMÉRO, FINI DE JOUER AU SUPPORTER DE FOOT... DONALD VA SE RECONVERTIR EN ENTRAÎNEUR DE CHIENS DIFFICILES !

DONALD
90 MINUTES !!!

CIEL ! Q-QUE SE PASSE-T-IL, LES ENFANTS ? QU'EST-CE QU'IL A ?

IL A ÉTÉ COMME ÇA TOUTE LA SEMAINE !

IL S'EST TROUVÉ À COURT DE CHEWING-GUM CE MATIN, ALORS IL SE *VENGE* SUR LES RIDEAUX !

C'EST AUJOURD'HUI QUE "*ÇA PASSE OU ÇA CASSE*" POUR LES LIONS DE DONALDVILLE ! S'ILS NE *GAGNENT PAS* CET APRÈS-MIDI, ILS SERONT *RELÉGUÉS* !

CE QUI *STRESSE* ÉNORMÉMENT ONCLE DONALD !

LE MATCH PASSE DANS QUELQUES MINUTES À LA TÉLÉ ! LEUR CAS SERA RÉGLÉ DANS *QUATRE-VINGT-DIX MINUTES* ! PLUS LA MI-TEMPS !

ALORS JE REPASSE PLUS TARD ?

143

OUI ! SI DONALDVILLE L'EMPORTE, ONCLE DONALD VOU-DRA FÊTER ÇA ! SINON, IL AURA BESOIN D'UNE ÉPAULE AMIE !

À TOUT À L'HEURE !

VIENS T'ASSEOIR, ONC' DONALD !

COURAGE ! LA PIRE SEMAINE DE NOTRE VIE VA BIENTÔT FINIR !

D 98179

D'AILLEURS JE VAIS *MONTER* LE SON !

... ET LA DÉFENSE DONALDVILLOISE SE VOIT INFLIGER UN COUP FRANC TRÈS DANGEREUX...

ATTENDS, MON BONHOMME !

TAA-RAA-*RAA*-RA-RAAAHHH !

HEIN ? TU APPELLES ÇA DU *BRUIT* ?

QUE DIS-TU DE ÇA ?

... UN CENTRE DONALDVILLOIS FRAPPE UN DEUXIÈME TIR... AU-DESSUS DE LA CAGE !

C'EST UNE VRAIE *TORTURE* ! J-JE N'EN PEUX PLUS ! JE M'EN VAIS !

MAIS... TU AS ATTENDU CE MATCH *TOUTE LA SEMAINE* !

JE NE PEUX PAS ! JE VAIS ME CACHER DANS UN COIN JUSQU'À LA FIN DU MATCH !

SUIVONS-LE !

CINÉMA ASTORIA

AH ! UN *HAVRE DE PAIX* ! ET TANT PIS SI JE TOMBE SUR UN *NAVET* !

ONC'DONALD... ATTENDS !

OH, C'EST PLEIN COMME UN ŒUF ! CE DOIT ÊTRE UN FILM À *GRAND SUCCÈS* !

EUH... OUI... SI ON PEUT DIRE !

AAAAHHHHHH! NOOOON!

SILENCE !

C'EST LE MATCH... SUR GRAND ÉCRAN !

ON A TENTÉ DE T'AVERTIR ! LE FILM DU JOUR A ÉTÉ ANNULÉ À CAUSE DU MATCH !

ÇA VA MAL. L'ARBITRE A SIFFLÉ UN PENALTY CONTRE DONALVILLE !

NOOON ! JE NE SUPPORTERAI PAS DE VOIR ÇA !

SUIVONS-LE !

AÏE ! ÇA RISQUE D'ÊTRE PIRE ICI !

PARC DE DONALDVILLE

... LA BALLE HEURTE LA CAGE DU BUT DONALDVILLOIS ! ON A EU CHAUD !

TRALALALALA!

J'AI DESCENDU DANS MON JARDIN...

OH, NOOON !

UNE HEURE APRÈS...

DÉSOLÉ ! IL N'Y A *PERSONNE* LÀ-DEDANS ! NI CANARD NI ŒUF DE CANARD ! ON A FOUILLÉ CHAQUE CENTIMÈTRE CUBE DE CIMENT !

QUE LUI EST-IL ARRIVÉ ?

CABANE DE REPOS

ÂÂÂH !!!! LE MATCH DOIT ÊTRE FINI ! J'AI FAIT UN PETIT SOMME, MOI !

CABANE DE REPOS

ON TE CROYAIT LÀ... DEDANS !

LÀ ? J'Y SUIS BIEN TOMBÉ, MAIS J'EN SUIS RESSORTI !

MAIS CE N'EST PAS IMPORTANT !

QUI M'ANNONCERA LE RÉSULTAT... POUR LES LIONS ?

CET APRÈS-MIDI-LÀ...

VOUS PARTEZ ? POURQUOI ? DONALDVILLE A *PERDU* ?

PIRE !

ON A ARRÊTÉ LE MATCH À CAUSE DU BROUILLARD... À QUINZE MINUTES DE LA FIN !

IL REPREND LA SEMAINE PROCHAINE !

ON REFUSE DE PASSER ENCORE UNE SEMAINE AVEC ONCLE DONALD DANS *CET* ÉTAT !

FIN

 PROCHAIN NUMÉRO, DONALD VA ENFIN ÉCHAPPER AU MATCH... LE MUNDIAL SERA TERMINÉ ET IL AURA LE TEMPS DE RECONQUÉRIR DAISY !

MUNDIAL 2014

SALUDOS AMIGOS ! EN ROUTE POUR LE BRÉSIL, QUI ACCUEILLE LA FÊTE MONDIALE DU BALLON ROND AU RYTHME ENDIABLÉ DE LA SAMBA ET DES MARACAS !!!

Les 32 meilleures équipes mondiales ont rendez-vous du 12 juin au 13 juillet au Brésil, pour conquérir le titre trop convoité de champion du monde de football et repartir avec le trophée du vainqueur ! Les Bleus feront ce qu'ils pourront, mais nous avons d'autres équipes francophones à défendre, comme celles des Diables rouges de Belgique et des Lions indomptables du Cameroun, ou de l'Algérie, de la Côte d'Ivoire et de la Suisse !

149

1/8 DE FINALE

GROUPE A

BRÉSIL
CROATIE
MEXIQUE
CAMEROUN

GROUPE B

ESPAGNE
PAYS-BAS
CHILI
AUSTRALIE

GROUPE C

COLOMBIE
GRÈCE
CÔTE D'IVOIRE
JAPON

GROUPE D

URUGUAY
COSTA-RICA
ANGLETERRE
ITALIE

GROUPE E

SUISSE
ÉQUATEUR
FRANCE
HONDURAS

GROUPE F

ARGENTINE
BOSNIE
IRAN
NIGÉRIA

GROUPE G

ALLEMAGNE
PORTUGAL
GHANA
ÉTATS-UNIS

GROUPE H

BELGIQUE
ALGÉRIE
RUSSIE
CORÉE

1ER GROUPE A
2ÈME GROUPE B

1ER GROUPE C
2ÈME GROUPE D

1ER GROUPE E
2ÈME GROUPE F

1ER GROUPE G
2ÈME GROUPE H

1ER GROUPE B
2ÈME GROUPE A

1ER GROUPE D
2ÈME GROUPE C

1ER GROUPE H
2ÈME GROUPE G

1ER GROUPE F
2ème groupe E

LE TABLEAU DES MATCHS !!!

1/4 DE FINALE

1/2 FINALE

FINALE

13 JUILLET 2014

CHAMPION DU MONDE

151

TOP 10 LES PLUS GRANDS CHAMPIONS !

LIONEL MESSI
ARGENTINE

Il court encore plus vite avec, que sans ballon!

RONALDO
PORTUGAL

Machine infernale à marquer des buts!

NEYMAR JR
BRÉSIL

Il dribble encore plus vite que son ombre!

EDINSON CAVANI
URUGUAY

El Matador tire des boulets avec sa tête!

RADAMEL FALCAO
COLOMBIE

Il peut marquer avec n'importe quel pied!

MESUT ÖZIL
ALLEMAGNE

Niveau vision, c'est le nouveau Zidane!

ANDRÉS INIESTA
ESPAGNE

C'est le meilleur stratège collectif au monde!

WAYNE ROONEY
ANGLETERRE

Le bad boy déchire toutes les défenses!

FRANCK RIBÉRY
FRANCE

Le roi du coup de tatane bien méchant!

KEISUKE HONDA
JAPON

Expert en ballons flottants très vicieux!

FANTOMIALD
DANS L'OCÉAN DU CRIME !

ÉPISODE 3

À CAUSE D'UN S.O.S. LANCÉ D'UNE PLATE-FORME DE FORAGE PÉTROLIER, FANTOMIALD DOIT INTERROMPRE SA FILATURE DES ROBOTORPILLES, SANS S'APERCEVOIR QUE CETTE FOIS, CE SONT EUX QUI LE SUIVENT ! MAIS NOTRE HÉROS A BIEN D'AUTRES SOUCIS, ÉTANT DONNÉ QUE LA PLATE-FORME A APPELÉ AU SECOURS CAR ELLE EST ATTAQUÉE PAR...

PAR LES BOTT... OUILLE !

DES VIKINGS ?

SPLASH

À L'ABORDAGE !

PAR ODIN !

1

I TL 3008

153

MAIS ON NE LES AURAIT PAS ARRÊTÉS LONGTEMPS AVEC NOS CANONS ANTI-INCENDIE !

HEUREUSEMENT QUE TU ES ARRIVÉ !

ON AURAIT DIT DE *VRAIS VIKINGS* ! D'OÙ VENAIENT-ILS ?

C'EST CE QUE JE VAIS DÉCOUVRIR !

MÊME SANS MOTEUR, CE *DRAKKAR* FILE COMME UN HORS-BORD !

RAMEZ PLUS VITE ! THOR NOUS SUIT !

IL EST EN COLÈRE CONTRE NOUS !

JE SOUPÇONNE QU'UN AUTRE BATEAU L'ATTEND ET... HÉ ! QU'EST-CE QU'IL A, MON MOTEUR ?

SPUT SPUT

OH NON ! JE ROULE DEPUIS HIER SANS FAIRE LE PLEIN ET...

5

JE L'AVAIS BIEN DIT ! CE TYPE *NE RESSEMBLE PAS À THOR !*

GRR ! TU AS RAISON, GUNNAR !

IL RESSEMBLE PLUTÔT À UN *VOLEUR DE CHAR !*

ALLONS LUI DEMANDER DES EXPLICATIONS !

ON VA L'ENVOYER RENDRE SON CHAR À THOR !

GROUMPF ! FORMIDABLE !

COMME VOUS VOUDREZ ! SI VOUS CHERCHEZ LES ENNUIS, VOUS ALLEZ LES TROUVER !

TU VAS CONNAÎTRE LA FUREUR DE *SNORRI TÊTE-DE-NAVE*, PETIT VOLEUR !

A-ATTENDS, SNORRI !

7

TUBES LANCE-TORPILLES PRÊTS !

TORPILLES ? HÉ, HÉ, HÉ...

MONTEZ À PORD, CHE FOUS PRIE !

J'ARRIVE !

JE SUIS À VOUS !

INSPECTEZ CE BATEAU, MATELOT !

À FOS ORDRES !

IL Y A UN TRÔLE T'APPAREIL À BORD, MONSIEUR !

INTÉRESSANT !

QU'EST-CE QUE C'EST QUE CET ENCHIN, PRISSONNIER ?

UN INOFFENSIF LECTEUR DVD !

ENTRETEMPS...

FOILÀ LE PRISSONNIER, KOMMANDANT !

ALORS C'EST VOUS, LES *FOURNISSEURS* DES *VOLEURS* DE DONALDVILLE !

COMMENT OSSEZ-FOUS, MONSIEUR ?

CHE SUIS OFFICIER TE LA *MARINE IMPÉRIALE !* CHE NE FRÉQUENTE PAS LES FOLEURS !

FOUS, EN REVANCHE, AFEC CE MASQUE...

GRRR ! MOI NON PLUS, JE NE SUIS PAS UN VOLEUR !

NE FOUS ÉNERFEZ PAS ! ON LE SAIT !

AUCUN FOLEUR N'A UNE AUTO FOLANTE AMPHIBIE COMME LA FÔTRE !

UN TEL FÉHICULE NE PEUT APPARTENIR QU'À UN ESPION TE *L'AMPLETERRE* TANT HAÏE !

MOI, UN ESPION ?

EXSSACT ! AU VOLANT T'UNE *ARME SECRÈTE* AMPLAISE !

ON RECEVRA UNE MÉTAILLE POUR L'AFOIR CAPTURÉE !

NOUS LA CONFISQUONS COMME PRISSE TE GUERRE !

LA *GUERRE* ? LA MARINE IMPÉRIALE, L'AMPLETERRE... *HOU LÀ !* JE CROIS COMPRENDRE !

PENDANT CE TEMPS...

OURGF ! VOILÀ LA VOITURE DE FANTOMIALD !

TSCHAFF
TSCHAFF
TSCHAFF
TSCHAFF

QU'EST-CE QU'ELLE PEUT UTILISER COMME CARBURANT ? J'ESPÈRE QU'ELLE APPRÉCIE L'ESSENCE... *LE SUPER*, ÉVIDEMMENT ! HA, HA !

JE NE SAIS PAS CE QUE C'EST, MAIS ILS *TOMBENT À PIC* ! HA, HA !

À BORD...

VOUS DEVEZ ME CROIRE ! LA GUERRE EST *FINIE DEPUIS LONGTEMPS* !

MAINTENANT, C'EST DE L'HISTOIRE ! JE ME RAPPELLE BIEN QUE JE L'AI... EUH... QUE *J'AURAIS DÛ* L'ÉTUDIER À L'ÉCOLE !

QU'EN PENSEZ-FOUS, KOMMANDANT ?

CHAMAIS ENTENDU T'ESPION AFEC AUTANT T'IMACHINATION !

QUELLES ANDOUILLES ! BON, D'ACCORD ! J'AVOUE ! JE SUIS UN ESPION !

15

JE VOUS LIVRE MES ARMES SECRÈTES ET...

HALTE ! PAS TOUCHE !

INCENDIE TANS LA SALLE TES MACHINES !

ET AUSSI TANS LA CHAMBRE ÉTANCHE !

FITE ! LA SIRÈNE T'ALARME !

JE VAIS APPELER LES POMPIERS ! ATTENDEZ-MOI !

QU'EST-CE QUE C'EST QUE CE BOUCAN ?

IL VAUT MIEUX ME CACHER AVANT QUE D'AUTRES MARINS N'ARRIVENT !

LE COMMANDANT NE METTRA PAS LONGTEMPS À COMPRENDRE QUE LES FLAMMES NE SONT QU'UNE PROJECTION EN 3D !

17

JE DOIS FILER D'ICI... MAIS CE NE SERA PAS FACILE AVEC LA 373-X À SEC !

IMMERSION RAPITE ! SUIFONS-LE !

EUH ! À FOS ORDRES !

MAIS CHE CRAINS QUE CE FAISSEAU SECRET AMPLAIS SOIT *TROP RAPITE* POUR NOUS !

ON NE LE RATTRAPERA CHAMAIS !

PFIOUUUH ! NOUS L'AVONS ÉCHAPPÉ BELLE !

VOUS DEVRIEZ ÊTRE PLUS PRUDENT !

VROOOSH

QUE FAISIEZ-VOUS AU MILIEU DE L'OCÉAN DANS CE MINUSCULE CANOT ?

HUM ! EN FAIT, JE...

20

EN RÉALITÉ, J'ÉTAIS DANS MON *BATEAU DE PÊCHE !* IL EST ENCORE À PROXIMITÉ !

*CAPITAINE

AUX ARMES ! *NAVIRES ROMAINS EN VUE !*

JE CROIS QUE ÇA VA LES OCCUPER !

OH OH ! LA *FLOTTE CARTHAGINOISE !*

POUR UNE RAISON INCONNUE, CETTE ZONE EST DEVENUE UNE SORTE DE *TRIANGLE DES BERMUDES !*

C'EST FOU !

VROOSH

AU FOND, ÇA VAUT MIEUX ! ÇA TIENDRA LES CURIEUX À L'ÉCART...

EUH... JE VEUX DIRE, LES *CONCURRENTS !* IL Y A BEAUCOUP DE CONCURRENCE ENTRE NOUS, PÊCHEURS !

JE M'EN DOUTE !

VROOOSH

À PROPOS, CE BATEAU, LÀ-BAS, RESSEMBLE À UN BATEAU DE PÊCHE !

C'EST LE MIEN !

25

MERCI ! EN EFFET, J'AI CHANGÉ D'IDÉE !

JUSTE LE TEMPS D'ÊTRE SÛR QU'IL NE TOMBERA PAS D'AUTRES MISSILES !

VÉRIFIONS AVEC LE RADAR !

IL EST EN BAS ! VIENS !

ON POURRA PEUT-ÊTRE AUSSI VOIR S'IL Y A DES EMBARCATIONS DANS LES PARAGES !

JE SUIS SUR LES TRACES D'UN BANDIT QUI... OOOH !

IL EST PLUS QUE *SPACIEUX*, CE BATEAU ! IL EST *IMMENSE* !

27

TROP AIMABLE ! HI, HI !

COMMENT PEUT-IL ÊTRE PLUS GRAND À *L'INTÉRIEUR* QU'À *L'EXTÉRIEUR* ?

C'EST GRÂCE À MON *3D-ILATATEUR* !

IL RÉUSSIT À *ÉTIRER* AU MAXIMUM LES TROIS DIMENSIONS DE L'ESPACE !

LA HAUTEUR, LA LARGEUR ET LA PROFONDEUR ! ÉTONNANT !

C'EST VOUS QUI L'AVEZ INVENTÉ ?

À VRAI DIRE, *NON* !

JE L'AI *VOLÉ* À GÉO TROUVETOU, COMME LES PLANS DE MES *MÉGA-FILAMENTS* !

ZZT

BZOT !

OSCAR RAPACE !

FANTOMIALD A RÉUSSI À TROUVER L'INVENTEUR MALÉFIQUE QU'IL CHERCHAIT... À MOINS QUE CE NE SOIT OSCAR RAPACE QUI L'AIT TROUVÉ, LUI ! NOUS EN SAURONS PLUS DANS LE PROCHAIN NUMÉRO POUR LE GRAND FINAL DE FANTOMIALD DANS L'OCÉAN DU CRIME !

FIN DE LA 3ᵉᵐᵉ PARTIE

 PROCHAIN NUMÉRO, QUATRIÈME PARTIE DE CETTE AVENTURE...
ET DERNIÈRE CHANCE POUR FANTOMIALD DE CONCLURE EN APOTHÉOSE !

MICKEY PARADE GÉANT
ÉVÉNEMENT

La trilogie du
Cycle des Magiciens

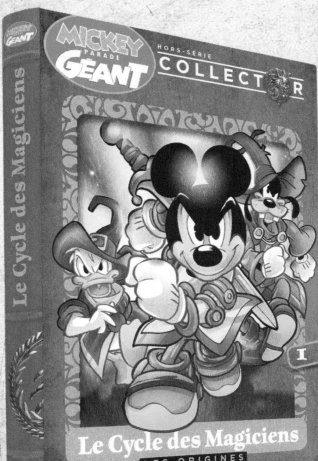

**3 tomes
à collectionner**
avec une boîte de rangement

**PLUS DE 900 PAGES
DE BD ENSORCELÉES !**

Tome ① le 18 juin
Tome ② le 9 juillet
Tome ③ le 6 août

**Chez ton marchand
de journaux**

DISNEY HACHETTE PRESSE

TIRE AUX BUTS !

et mange du flan...

TIR AU BUT

En retrouvant la copie exacte du ballon en bas à gauche, tu découvriras l'année de la toute première Coupe du monde de football. Si tu es vraiment fortiche, tu connaîtras aussi le pays vainqueur d'après son drapeau !

GRAINE DE CHAMPION

Déchiffre le rébus pour savoir ce que dit cette maman autruche.

DONALD EST FUTÉ

Décidément, Donald est toujours champion du monde
lorsqu'il s'agit de démasquer les imposteurs...

REGARDE, DONALD ! ENCORE UNE AFFICHE DE LA COUPE DU MONDE DE FOOTBALL !

FIFA WORLD CUP BRASIL

ON AURAIT PU ALLER AU BRÉSIL SI ON N'AVAIT PAS PASSÉ TOUT L'ÉTÉ À COMPTER LES PIÈCES D'OR DE TON COFFRE, ONCLE PICSOU !

SALUT, LES AMIS ! VOUS NE DEVINEREZ JAMAIS OÙ J'AI PASSÉ MES VACANCES !

TIENS, VOILÀ NOTRE COPAIN JAS !

TU REVIENS BRONZÉ... NE NOUS DIS PAS QUE TU AS ÉTÉ À RIO ...

EH OUI, ON EST EN PLEIN ÉTÉ LÀ-BAS AUSSI !

TU ES PLUS VEINARD QUE GONTRAN !

AH, RIO DE JANEIRO ET SA PLAGE DE COPACABANA...

J'AI TOUT DE MÊME PENSÉ À VOUS AU BRÉSIL ! J'AI PRIS CETTE PHOTO DU HUBLOT DE L'AVION ALORS QUE NOUS SURVOLIONS L'IMMENSE STATUE DU CHRIST RÉDEMPTEUR...

C'EST UN CADEAU POUR VOUS ! J'ESPÈRE QUE CE BEAU CLICHÉ VOUS CONSOLERA DE NE PAS AVOIR PU ASSISTER AUX MATCHS !

MERCI JAS ! CE N'EST PAS AVEC LE SALAIRE QUE ME DONNE ONCLE PICSOU QUE JE POURRAIS ME PAYER UN VOYAGE PAREIL...

... ET JE SAIS QUE TOI NON PLUS TU N'Y AS PAS MIS LES PIEDS CET ÉTÉ !

QUE VEUX-TU DIRE, DONALD ?

SI JAS AVAIT ÉTÉ AU BRÉSIL, QUI SE TROUVE DANS L'HÉMISPHÈRE SUD, IL SAURAIT QUE LES MOIS D'ÉTÉ CHEZ NOUS CORRESPONDENT AUX MOIS D'HIVER LÀ-BAS. EN PLUS, LE CLICHÉ QU'IL NOUS A OFFERT EST UN PHOTOMONTAGE. LE SOCLE DE LA STATUE DU CHRIST RÉDEMPTEUR NE REPOSE PAS AU MILIEU DE LA MER, COMME LA STATUE DE LA LIBERTÉ, MAIS SUR LA TERRE FERME !

IL EST TROP FORT MON NEVEU !

CARNAVAL SUR.

CODE

Remplace les signes par les lettres correspondantes pour savoir ce que disent ces joueurs.

DÉTAIL

Un seul détail correspond à cette scène, lequel?

LA BONNE PAILLE

Ce joueur a soif! Aide-le à trouver la bonne paille.

GRILLE FLÉCHÉE

Remplis cette grille spécial foot en t'aidant des définitions et en suivant les flèches.

Pays hôte / Arrêts de jeu	Copacabana en est une / Vague dans le stade	365 jours / Numéro un en Angleterre	Tee-shirt du sportif / En tête de groupe	Joue près de la touche	Échauffement / Sortie à l'anglaise	Vêtement de footballeur
Pris pour tirer loin / Coutumes		A bien rigolé (a ...) / La sienne	Grands arbres	Ancêtre de la guitare / Citron sans bouts / Attrapée		
Moitié de blabla	On l'envoie souvent aux toilettes	Dotée d'une aile / Utilise			Aller-retour / 0-0	
	Le "rôle" est inversé	Subvient aux besoins				
Commun sur la plage / Ne cède pas / Club anglais				1 / Convoient les touristes		Phases de choix au foot
				Ouvrent les portes / Se rend		
Ville brésilienne / Étoile	Dedans				..., te, se	
				Donc vrai / Musique en tête		
Infinitif / Animaux dits têtus	En jeu : but en or ou mort ... / La mienne / Me, ..., se		Champion / Peut être entrant s'il marque	Venu au monde / Choisies aux urnes		
	Caché dans l'ombre			Et cætera / En tête d'appui		
L'OM en est un / Première page / Fatiguée		Pas écrit / Avant nous			Lumière de tunning	
	Bouts de foot / Tête d'Italien / Minerai		S'est pris un carton / Graffiti			
On n'en perd pas une quand on est fan / Joujou de l'arbitre / Dedans anglais				Voyelles de météo / Diffusé en même temps que l'image à la télé		
		Voyelles de papa				
Venue au monde	Carton éliminatoire			Nord-Sud		

PAÍS MÁGICO !!!

Philtra et Feufollet ont enfourché le balai magique pour un voyage supersonique en direction du Brésil et de la magnifique baie de Bahia, à Rio de Janeiro!!! Mais ont-ils pensé à prendre leurs billets pour assister aux matchs de la Coupe du monde ? Pas si sûr...

WAOH! ÇA DÉCOIFFE !

ET VOICI LA BAIE DE RIO, LES ENFANTS !

ON VA ASSISTER À LA COUPE DU MONDE DE FOOT! MERCI PHILTRA!

JE SAVAIS QUE ÇA VOUS FERAIT PLAISIR!

ALLEZ, DESCENDONS!

Y'A UNE SUPER AMBIANCE DANS LES RUES !

EN REVANCHE, CE TYPE LÀ-BAS A L'AIR DRÔLEMENT ÉNERVÉ !

JE LE CONNAIS ! C'EST JEAN-PAUL ORJEU, LE CÉLÈBRE ARBITRE INTERNATIONAL !

M'SIEUR, JE PEUX AVOIR UN AUTOGRAPHE ?

AH NON, CE N'EST PAS LE MOMENT !

DANS 10 MINUTES, JE DOIS ARBITRER LA RENCONTRE ENTRE LE SAN GAZPACHO ET LE SAN CALAMAR...

ET ON M'A VOLÉ MON SIFFLET FÉTICHE !

(1) BRAVO DRAGON !

RETROUVE LES SOLUTIONS DES JEUX DE FOOT PAGE 193 !

GÉANT ! COMPLÈTE TA COLLECTION !

N°334

N°175

N°335

N°336

N°337

N°176

N°177

N°178

N°338

N°339

N°340

N°179

N°180

N°181

Pour recevoir chez toi les anciens numéros de Super Picsou Géant et de Mickey Parade Géant qui te manquent, remplis ce bon de commande et renvoie-le avec un chèque à :

VPC DHP BOÎTE POSTALE N°4, 59718 LILLE CEDEX 9

Je désire recevoir les numéros cochés :

MICKEY PARADE GÉANT

☐ MPG n°327   ☐ MPG n°334
☐ MPG n°328   ☐ MPG n°335
☐ MPG n°329   ☐ MPG n°336
☐ MPG n°330   ☐ MPG n°337
☐ MPG n°331   ☐ MPG n°338
☐ MPG n°332   ☐ MPG n°339
☐ MPG n°333   ☐ MPG n°340

SUPER PICSOU GÉANT

☐ SPG n°174   ☐ SPG n°178
☐ SPG n°175   ☐ SPG n°179
☐ SPG n°176   ☐ SPG n°180
☐ SPG n°177   ☐ SPG n°181

BON DE COMMANDE

Nom ....
Prénom ....
Adresse ....
....

Code postal ....
Ville ....
Pays ....

Je commande :
..... numéros x 5,50 € = ...
**Veuillez trouver
ci-joint mon chèque
à l'ordre de DHP.**

Tarif : 5,50 € par numéro
(frais de traitement inclus)

*Le délai d'attente pour
les deux derniers numéros
est de 8 semaines.*

*Dans la limite des stocks
disponibles.*

JEUX MYSTÈRES

 P 76

DANGER TRAVAUX
Les morceaux 6 et 9.

TRI DE MUTANTS
Le mutant dissipé est le E
(l'indice est BLOND).

 P 77

LABYCASES
1. Le chemin 1-19-4-15-7-14-21.
2. Le superhéros en 6.

 P 78

BIFTOU TÉLÉPATHIQUE
Le dernier mot est MUTANT.

JUMEAUX
Les Magneto A et F sont des sosies parfaits.

PÊLE-MÊLE
Si on ne compte pas celui tenu par Wolverine,
il y en a 10.

 P79

ELECTRO

À... LASSO !
Le lasso A.

EN VRAC
En triple: le viseur de Cyclope.
L'unique: le pistolet laser.
Les intrus: les boucliers, les flèches et les épées.

 P 80

TEST XXL - Quel X-men serais-tu ?

• Si tu as une majorité de
Wolverine bis, tu mènerais une enquête solitaire
et musclée contre Magneto! Fougueux, agile
et d'une force prodigieuse, tes griffes acérées
surmonteraient tous les obstacles.
Tu n'aurais peur de rien. Car ton corps, presque
indestructible comme celui de Colossus,
se régénérerait!

• Si tu as une majorité de
Tu déchaînerais la foudre, le gel, les ouragans,
le vent... pour voler contre Magneto!
Comme Tornade, la nature serait ton alliée
et tu commanderais aux éléments! Mais aussi
à une équipe de mutants, que ton âme de chef
motiverait et disciplinerait pour une juste cause.

• Si tu as une majorité de
Tes superpouvoirs de télépathe forceraient
Magneto à se protéger d'un casque! Pour
empêcher que tu ne lises ou manipules ses
pensées... Ton cerveau serait aussi fort que celui
de Charles-Xavier, alias le professeur X, grand
scientifique et leader bienveillant des X-Men!

 P 81

CODE MUTIQUE
«Si tu crois que ma vie est facile, mon pote,
tu te mets le doigt dans l'œil! Imagine quand
j'ai juste besoin de me gratter le nez...
Et encore, c'est pas le pire...»

FUTOSHIKI

1	4	2	3	5
4	5	1	2	3
2	3	4	5	1
5	1	3	4	2
3	2	5	1	4

SUDOKU

2	4	3	8	7	6	5	1	9
1	9	8	5	4	3	7	2	6
7	6	5	9	1	2	4	3	8
9	1	4	7	6	8	3	5	2
3	7	2	4	5	9	8	6	1
5	8	6	3	2	1	9	7	4
8	5	1	6	3	4	2	9	7
6	3	9	2	8	7	1	4	5
4	2	7	1	9	5	6	8	3

 **P 82**

MATT LAMITE
Matt a remarqué que le vol avait eu lieu à 00:43
(planche 1, case 4). Le cochon a bien failli
tromper Matt avec son alibi, car sur les photos
qu'on prend avec un téléphone portable,
l'image est inversée. Donc dans la case
de la photo de la veille, il n'est pas
00:55 mais 22:00, il a donc eu tout
le temps de commettre le vol.

JEUX DE FOOT

TIR AU BUT

GRAINE DE CHAMPION

Sève-raie-queue-jet-10-queue-V'houx-poux-raie-joue-haie-eau-fou'T-avé'C-mont-gare-son...
«C'est vrai que j'ai dit que vous pourrez jouer au foot avec mon garçon...»
... Mêêê-K'an-île-S'œufs-rat-nez!!
«... Mais quand il sera né!!»

CARNAVAL SUR... LE TERRAIN !

- **Code**
«Ce perroquet est notre nouvel avant-centre.»
«C'est de la triche!»
«Pas du tout, il ne joue qu'avec les pieds!»

- **Détail**
Le détail E.

- **La bonne paille**
La paille D.

- **Jumeaux**
Le ballon unique est le 12.

- **Bon sens**
Arrête de jouer perso et passe le ballon!

- **Rébus**
T'hue-cou-RE-pas-dent-LE-bon-S'anse
«Tu cours pas dans le bon sens!»

P 186

GRILLE FLÉCHÉE

B	P		A	M		A	E	
P	R	O	L	O	N	G	A	T	I	O	N	S
E	L	A	N		R	I		L	U	T	H
U	S	A	G	E	S		L		I	T	R	O
I		E		A	I	L	E	E		A	R
B	L	A		U		F	O	U	R	N	I	T
	R	E	S	I	S	T	E		U	N
S	A	B	L	E			C	L	E	S
A		R	I	O			V	A		M	E
A	S	T	R	E		R	E	E	L
E		R		N	M	A	S		N	E
A	N	E	S		T	A	P	I		E	T	C
A		U	N	E		O	R	A	L	T
C	L	U	B		I	T		P	U	N	I
	S	I	F	F	L	E	T		E	E	O	N
M	I	E	T	T	E		A	A		S	O	N	S
N	E	E		R	O	U	G	E		N	S

P 187

PAIS MAGICO !!!

- **Labyrinthe**
C'est le chemin 2, qui élimine le 2e suspect.

- **Ombres**
C'est l'ombre 1, le suspect n°1 est innocent.

- **Anagramme**
"Boisson" permet d'innocenter le n°4.

- **Jeu à points**
"SPG" élimine le suspect n°3.

Il reste donc le n°5! C'est lui qui a volé le sifflet! Et ce fameux sifflet se cache dans la première page de la BD, case 3 (c'est la forme du scooter).

ONT PARTICIPÉ À CE NUMÉRO...
O. Bioret, E. Carré, B. Ciccolini, G. Corre, Ph. Fenech, R. Garouste, Ph. Larbier, J. Lemasson, Mac, L. Mahler, Moko, F. Müller, P. Valli, et Yannick.

Abonne-toi vite à SUPER PICSOU GÉANT

➡ Tes personnages préférés dans des aventures inédites et hilarantes.

➡ Du mystère et de l'action.

➡ Des gags, des jeux et du délire !

Formule **"AMATEUR"** ou **"PASSIONNÉ"**, à toi de choisir !

1 an (6 nos) OU **2 ans (12 nos)**

FORMULE AMATEUR ➤ **22,50 €** au lieu de 27 €*

FORMULE PASSIONNÉ ➤ **43 €** au lieu de 54 €*

SOIT **1** NUMÉRO GRATUIT ! SOIT **2** NUMÉROS GRATUITS !

BULLETIN D'ABONNEMENT

À découper et à retourner sous enveloppe affranchie à : Super Picsou Géant - BP 50002 - 59718 LILLE Cedex 9.

OUI, j'abonne mon enfant à *Super Picsou Géant* pour :

☐ **1 an** (6 nos) pour **22,50 €** au lieu de 27 €*, soit **1** nº gratuit.

OU ☐ **2 ans** (12 nos) pour **43 €** au lieu de 54 €*, soit **2** nos gratuits.

Je joins mon règlement par :

☐ chèque à l'ordre de **Super Picsou Géant**

N° ☐☐☐☐☐☐☐☐☐☐☐☐☐☐☐☐

Expire fin ☐☐☐☐ M M A A

Date et signature (obligatoires) :

Mes coordonnées :

☐ Mme ☐ Mr Nom

Prénom

Adresse

Code postal ☐☐☐☐☐ Ville

N° Tel ☐☐☐☐☐☐☐☐☐☐

Votre e-mail

MLP ☐ J'accepte de recevoir par e-mail les offres promotionnelles de la part des partenaires sélectionnés par Disney Hachette Presse.

HFM SP143

Coordonnées de l'enfant abonné :

☐ Fille ☐ Garçon Nom (2)

Prénom (2)

Adresse (2)

Code postal (2) ☐☐☐☐☐ Ville (2)

Date de naissance de votre enfant ☐☐☐☐☐☐☐☐ J J M M A A A A

Plus rapide, plus pratique, abonnez votre enfant sur www.superpicsougeantabo.com

*Prix de vente au numéro. Offre valable 2 mois réservée à la France métropolitaine. Après enregistrement de votre règlement, vous recevrez sous 4 à 6 semaines environ votre 1er numéro de Super Picsou Géant. Si vous avez des questions concernant votre abonnement, le service clientèle est à votre disposition au : 02 77 63 11 29.
Le droit d'accès et de rectification des données concernant les abonnés peut s'exercer auprès du Service Abonnements. Sauf opposition formulée par écrit, les données peuvent être communiquées à des organismes extérieurs.

Disney Hachette Presse - 124 rue Danton - 92538 Levallois-Perret Cedex, RCS Nanterre B 380 254 763.

SUPER PICSOU GÉANT N°182 - JUIN 2014

Directrice générale d'édition : Anne-Marie LABINY.
Rédacteur en chef : Pascal PIERREY.
Rédacteur en chef technique : Stéphanie MAYLIN.
Directrice artistique : Christine GASARIAN.
Première secrétaire de rédaction : Catherine PROST.
Assistante : Marie-Josée AZCUENAGA.
Secteur bandes dessinées
Documentation et coordination : Philippe MARCILLY.
Coordination : Sandra DUSS.
Studio dessin : Dominique AMAT (chef de studio), Morgan PROST (rédacteur graphiste).
Iconographe : Solange COLLETTE.
Ont collaboré à ce numéro : ARÉ, Virgile TURIER (rédacteurs ludographes), Aurélia CADIOU (rédactrice graphiste) Clotilde GRAMOND (BD), Angélique NUNES (fabrication).
FABRICATION : Paul BAYLISS, Cécile CHIQUET-BARDET.

RÉDACTION
TÉL. 01 41 34 88 73
Adresse : 124 rue Danton, 92538 LEVALLOIS-PERRET Cedex.

PUBLICITÉ
TÉL. 01 41 34 89 11
Directrice marketing et commerciale : Pauline de BRONAC.
Directrice de publicité : Patricia DANAN.
Directrice de clientèle : Barbara VALDÈS LE FRANC.
Assistante : Chantal GUILLERY.
Site Web : www.dhpregie.com

PROMOTION
TÉL. 01 41 34 88 78
Chefs de produit : Vanessa GABRIEL, Yann GROLLEAU, Rebecca TAIEB.
Assistante : Jessica MBASSÉ-GROFFIER.
Production plus produits : Marion STASTNY.

MARKETING DIRECT
TÉL. 01 41 34 69 25
Directrice marketing direct : Bénédicte MONTLUÇON.
Chef de produits : Sarah CONSTANT.
Assistante : Katia SIMONET.

VENTES DÉPOSITAIRES
Hachette Filipacchi Diffusion.

ABONNEMENTS FRANCE
Tarif standard : 1 an/6 numéros, 27 €

Gérez vos abonnements, abonnez-vous ou posez vos questions
Par email :
www.abonnementssuperpicsougeant@cba.fr
Par internet : **www.superpicsougeantabo.com**
Par téléphone : France 02 77 63 11 29
Étranger (00 33) 2 77 63 11 29
Par courrier : Super Picsou Géant abonnements

Édité par : DISNEY HACHETTE PRESSE S.N.C. au capital de 15 000 €- RCS NANTERRE B 380 254 763.
Associés : The Walt Disney Company France S.A.S., Hachette Filipacchi Presse.
Gérant : Bruno LESOUËF.
Comité de direction : Jean-François CAMILLERI, Jean-Pierre FABRE, Cécile LEGENNE, Claire LEOST, Bruno LESOUËF, Pascal TRAINEAU.
Siège social : 124 rue Danton 92538 LEVALLOIS-PERRET Cedex.

Imprimé en Pologne/Printed in Poland par QuadGraphics, 07-200 Wyszkow.
Dépôt légal : mai 2014.
N° de Commission paritaire : 0412 K 81554.
ISSN 0757-4207.
Loi n° 49-956 du 16.07.1949 sur les publications destinées à la jeunesse.
Directeur de la publication : Bruno LESOUËF.

© DISNEY HACHETTE PRESSE

OJD PRESSE PAYANTE Diffusion Certifiée 2013

PEFC 10-31-2182

Ce magazine est imprimé sur du papier issu de forêts gérées durablement et de sources contrôlées.

Ce numéro n'est complet qu'avec son encart abonnement (kiosques suisses) jeté dans le magazine.